D0714947

L'ENFANCE EST UNE ÎLE

nouvelles

La réalisation de cet ouvrage a été rendue possible grâce à des subventions du ministère de la Culture et des Communications du Québec et du Conseil des Arts du Canada.

Mise en pages : Constance Havard
Maquette de la couverture : Raymond Martin
Illustration : Pierre-Auguste Renoir, *La natte, Suzanne Valadon*, 1886

Distribution :   **Canada**   **Europe francophone**
                 Diffusion Prologue   La Librairie du Québec
                 1650, boul. Louis-Bertrand   30, rue Gay-Lussac
                 Boisbriand (Québec)   75005 Paris
                 J7E 4H4   France
                 Tél. : (514) 434-0306   Tél. : (1) 43 54 49 02
                 Téléc. : (514) 434-2627   Téléc. : (1) 43 54 39 15

Dépôt légal : B.N.Q. et B.N.C., 1er trimestre 1997
ISBN : 2-89031-260-7
Imprimé au Canada

Pierre Chatillon

L'ENFANCE EST UNE ÎLE

nouvelles

Triptyque

DU MÊME AUTEUR

Les cris, poèmes, Éditions du Jour, Montréal, 1968, 100 p. Réédition en 1969.

Soleil de bivouac, poèmes, Éditions du Jour, Montréal, 1969, 96 p. Édition remaniée en 1973.

Le journal d'automne, récit, Éditions du Jour, Montréal, 1970, 112 p.

Le mangeur de neige, poème, Éditions du Jour, Montréal, 1973, 128 p.

La mort rousse, roman, Éditions du Jour, Montréal, 1974. Édition remaniée, collection «Québec 10/10», n° 65, Éditions Stanké, Montréal, 1983, 305 p.

Le fou, roman, Éditions du Jour, Montréal, 1975, 108 p.

L'île aux fantômes, contes, précédé de *Le journal d'automne*, Éditions du Jour, Montréal, 1977. Édition remaniée, collection «Québec 10/10», n° 107, Éditions Stanké, Montréal, 1989, 308 p.

Philédor Beausoleil, roman, Éditions Robert Laffont (Paris) et Leméac (Montréal), 1978. Édition remaniée, Éditions Libre Expression, Montréal, 1985, 186 p.

Poèmes, rétrospective des poèmes (1956-1982) regroupant *Les cris, Le livre de l'herbe, Le livre du soleil, Soleil de bivouac, Poèmes posthumes, Blues, Le mangeur de neige, Le château fort du feu, Le beau jour jaune, Le printemps, Nuit fruit fendu, L'oiseau-rivière, Amoureuses*, Éditions du Noroît, Saint-Lambert, 1983, 349 p.

La fille arc-en-ciel, nouvelles, Éditions Libre Expression, Montréal, 1983, 217 p.

Le violon vert, poèmes, Écrits des Forges, Trois-Rivières, 1987, 95 p.

L'arbre de mots, poèmes, Écrits des Forges, Trois-Rivières, 1988, 82 p.

La vie en fleurs, nouvelles, XYZ Éditeur, Montréal, 1988, 144 p.

Le violon soleil, poèmes, Écrits des Forges, Trois-Rivières, 1990, 86 p.

L'Atlantidien, nouvelles, Éditions Héritage, Saint-Lambert, 1991, 181 p.

L'ombre d'or, poèmes, Écrits des Forges, Trois-Rivières, 1993, 101 p.

L'IMPRESSIONNISME

Au début de mai 1981, voulant prendre quelques jours de congé, Rémi Lemieux quitta Nicolet, au volant de sa petite Volkswagen bleue, en direction de la Nouvelle-Angleterre.

Sur les bords du Saint-Laurent, les feuilles commençaient à peine à déplier leurs limbes, et les bois se couvraient d'une mousse de verdure si légère qu'elle paraissait intangible, d'un duvet de fraîcheur donnant aux arbres l'allure d'oiseaux nouveau-nés, un frisson vert évoquant ces frimas de janvier qui irréalisent les branches, un tendre frimas vert.

Mais à mesure que Rémi filait sur les routes montueuses du Vermont, à mesure qu'il se rapprochait du Massachusetts, les arbres feuillaient avec abondance, pareils à des femmes dénouant leur chevelure. Et lorsqu'il parvint à Williamstown, ville étudiante camouflée tel un nid dans les Green Mountains, pommetiers et lilas déployaient leur feuillage tacheté de fleurs en profusion de petites touches roses.

Williamstown était le but de son voyage. On lui avait parlé d'un musée, le Clark Art Institute, riche d'une remarquable collection de chefs-d'œuvre de peintres impressionnistes. Mais, avant même de visiter le musée, ce fut la petite ville qui l'enthousiasma: partout des arbres, des pelouses, des rues ondulées comme des vagues, les bâtiments de Williams College et de superbes maisons.

Il passa la nuit dans un motel dans la cour duquel jaillissait la fontaine d'un énorme saule pleureur et, le lendemain matin, il se rendit au Clark Art Institute. Au fond d'un grand parc fleuri de pommetiers, des buissons d'azalées rouges flambaient au pied d'un édifice en marbre blanc. Du côté nord, un bel étang s'ouvrait comme une bouche essayant de boire le soleil.

Une fois à l'intérieur, Rémi parcourut lentement les corridors, ébloui par les Corot, les Pissarro, les Turner, les Gauguin. Mais lorsqu'il pénétra dans la salle principale, consacrée à Monet et à Renoir, il ne se contint plus d'admiration, ne sachant vers quel tableau se diriger. Le *Champ de tulipes à Sassenheim* de Monet l'attira, à cause des coulées d'or et de feu vibrant à sa surface. Puis il entendit rire: c'étaient six oignons de Renoir, aux rondeurs de seins et de joues, exubérants comme des jeunes filles rousses en train de jouer, leurs tresses soulevées de plaisir. Puis un murmure de vagues s'allongeant sur le sable le séduisit et il se retrouva devant la *Baigneuse blonde* de Renoir.

Enchâssé dans un large cadre de bois doré tout sculpté de menues fleurs, le tableau représentait une jeune femme nue, aux longs cheveux blonds, aux yeux bleus, assise au bord de la mer. Rémi voulait voir les autres toiles, mais il prit place sur un banc et resta là, envoûté par cette baigneuse née de l'union du soleil et de la mer. Tout le tableau était blond: même un petit rocher, à l'arrière-plan, à la base mouillée par l'eau blonde, semblait un petit rocher blond. Renoir avait trempé son pinceau dans la source de la lumière pour peindre l'ovale exquis du visage, la rondeur des seins, des épaules, des fesses. Il émanait de cette jeune personne une douceur d'avant l'invention du mal. L'artiste avait effacé autour d'elle toute trace de temps, et sa blondeur irradiait telle une aube venant mettre fin pour toujours à la nuit.

8

Vint pourtant l'heure de la fermeture et Rémi dut quitter le musée.

Au crépuscule, il se promena par les rues, admirant l'architecture des splendides demeures. Une maison retint particulièrement son attention. De style néo-gothique, elle était construite en planches de couleur vieux rose, coiffée d'un toit de tuiles où alternaient, en damier, des carrés verts et des carrés roses. Les fenêtres étaient ornées d'auvents en forme d'ogives. Une frise constituée de fleurons décorait sur toute sa longueur le bord de la toiture. Des pins, de somptueux érables s'érigeaient tout autour, mais le plus bel arbre était un chêne énorme: une de ses branches supportait une balançoire dont la planchette permettait à deux personnes de s'y asseoir. Un oiseau moqueur, caché parmi les feuilles, se lança dans des vocalises variées et harmonieuses, et c'est à ce moment que Rémi aperçut, sur l'escarpolette, la jeune femme blonde du tableau de Renoir.

Et son étonnement s'accrut encore lorsqu'elle lui fit gentiment signe de la main.

Il s'approcha.

— Bonjour, dit-elle d'une voix qui rappelait le murmure d'une source, je vous reconnais, vous étiez, cet après-midi, au musée.

Rémi se sentait très mal à l'aise à l'idée d'avoir passé des heures à contempler cette jeune femme sans savoir qu'elle-même l'observait. Mais elle paraissait si heureuse de faire sa connaissance qu'il surmonta son embarras et finit par prendre place à côté d'elle sur la balançoire. Elle lui révéla, très émue, que depuis toujours elle attendait. Bien des jeunes gens, depuis cent ans, avaient circulé devant elle et parfois, au crépuscule, elle les avait revus se promenant par les rues de la petite ville. À quelques reprises, elle leur avait envoyé la main, mais aucun n'avait répondu à son signe. Elle savait bien qu'elle n'était visible que de jour sur le tableau de Renoir, et que, dès qu'elle en sortait, on ne pouvait plus l'apercevoir. Aussi avait-elle souhaité qu'un soir un garçon répondît à son appel et s'était-elle persuadée que celui-là la verrait parce qu'il la regarderait avec les yeux de l'amour.

— La vérité est que, cet après-midi, au musée, finit par avouer Rémi malgré son trouble, vous avez fait sur moi une très forte impression...

— C'est ça l'impressionnisme, murmura-t-elle avec un sourire.

Et maintenant qu'ils s'étaient accordé une confiance réciproque, elle lui raconta sa vie. Depuis que Renoir l'avait peinte sur cette toile, en 1881, elle restait là, assise, gardant la pose. Elle n'était pas malheureuse, bien qu'il lui fût impossible de bouger tant qu'elle demeurait dans ce tableau. Aussi, en fin d'après-midi, à la fermeture, devenant invisible, elle sortait du tableau. Elle se plaisait beaucoup dans la petite ville de Williamstown, se baladant par les rues tranquilles, et elle avait élu domicile dans cette maison sans que les propriétaires ne soupçonnent sa présence. Au crépuscule, elle se berçait sur la balançoire puis elle passait la nuit dans une chambre inoccupée. Le matin, elle retournait au musée pour y reprendre sa place dans le cadre doré.

En acceptant de poser jadis pour Renoir, elle ne savait pas, dans sa naïveté, qu'elle allait perdre jusqu'au souvenir de son nom. Elle ne le regrettait pas car cette mutation lui avait permis d'échapper au temps, mais elle s'était mise à vouloir connaître l'amour.

Assis sur la planchette de la balançoire, les deux jeunes gens continuèrent de bavarder toute la nuit durant.

À un certain moment, sentant le serein se déposer sur sa tête, Rémi offrit son blouson à la jeune femme pour qu'elle s'en couvre les épaules, mais il constata que son corps nu n'avait aucune consistance. Même sensation étrange lorsqu'il voulut lui prendre la main et n'étreignit que de l'air. Pourtant, sur la fin de la nuit, il l'enlaça avec ardeur, l'embrassa de façon passionnée et la belle blonde devint une femme réelle entre ses bras.

— Fuyons, proposa Rémi, je vous enlève au monde de l'art, fuyons vers la vraie vie!

La jeune femme courut vers la maison, déroba des vêtements et revint, presque méconnaissable, habillée d'un jean et d'une blouse jaune. L'aube se levait. Ils sautèrent dans la Volkswagen et filèrent sur l'autoroute 91.

Au début, ils s'arrêtèrent souvent pour s'embrasser, mais ils durent mettre un frein à leur désir car ils redoutaient d'être pourchassés par la police. Dès l'ouverture du musée, en effet, l'alerte serait donnée.

Ils ne s'étaient pas trompés et, lorsqu'ils écoutèrent à la radio les premiers bulletins de nouvelles, on annonçait la disparition d'un personnage de Renoir. L'événement était unique dans l'histoire des célèbres vols d'œuvres d'art. Cette fois, précisait le reporter, le tableau se trouvait toujours suspendu au mur du musée, et seul manquait le personnage. Aussi ne savait-on pas comment interpréter cet acte. Certains le qualifiaient de vol, d'autres de rapt, d'autres se hasardaient à parler de l'évasion d'un personnage. Toutes les routes allaient donc être surveillées.

Rendu nerveux par ce message, Rémi accéléra. Puis il se dit qu'ils avaient déjà parcouru beaucoup de chemin et qu'on ne les chercherait probablement pas aussi loin. Et puis le paysage était si magnifique autour d'eux. Le soleil nuançait le feuillage des forêts des plus subtiles teintes de vert. Des touffes de lilas s'épanouissaient avec une élégance vaporeuse rappelant les tutus roses des ballerines admirées la veille par Rémi dans le tableau de Degas intitulé *L'entrée des danseuses*. À l'orée des bois, moussaient les fleurs blanches des merisiers. L'or liquide des pissenlits, coulant sur les pentes, s'étalant en nappes dans les champs, évoquait les couleurs vives de *Champ de tulipes à*

Sassenheim. Et la jeune blonde, s'abandonnant à la joie, s'exclamait:

— C'est l'impressionnisme! C'est l'impressionnisme!

En approchant de la frontière, toutefois, ils redevinrent inquiets, redoutant que le signalement de la fugitive n'eût été donné aux douaniers. La belle blonde releva donc ses cheveux en chignon et se cacha les yeux derrière de larges verres fumés. Ce subterfuge réussit et les deux jeunes gens se retrouvèrent bientôt sur les routes du Québec.

Une fois à Nicolet, Rémi loua une maison mobile à Port-Saint-François, tout au bord du fleuve, et les deux amoureux s'y installèrent pour l'été. Chaque jour, ils faisaient de longues balades à vélo. La jeune femme, certaine de n'être pas reconnue, laissait flotter sur ses épaules ses longs cheveux, et sa beauté soulevait l'admiration. À peine s'étonnait-on, en la voyant passer, d'un léger bruissement d'eau qui semblait toujours l'accompagner. Rémi, lui, s'était vite habitué à ce phénomène, et ce murmure de source ajoutait encore à la séduction émanant de sa compagne.

Un jour, il revint à la maison avec un anneau d'or qu'il passa à l'annulaire gauche de son amie, en gage d'amour.

Tout l'automne et tout l'hiver, ils vécurent à cet endroit, Rémi continuant de rédiger sa thèse de doctorat. Essayant de la rédiger car, à tout moment, il s'interrompait pour embrasser sa bien-aimée.

Un soir de mars, alors que la jeune femme feuilletait un grand album consacré à l'impressionnisme, elle aperçut une reproduction de *Baigneuse blonde* et se reconnut avec émotion. Sur le coup, elle se réjouit d'avoir échappé au cadre doré qui l'avait retenue captive pendant cent années, mais ce moment d'euphorie céda la place à une étrange mélancolie. Elle se regarda dans le tableau comme en un miroir. Elle toucha ses joues, son cou et demanda à Rémi s'il n'y découvrait pas la naissance de quelque ride. Rémi s'amusa de cette inquiétude tout à fait injustifiée et la lui fit oublier par la douceur de ses caresses.

À quelques jours de là, toutefois, parcourant un album consacré à Rodin, la jeune blonde s'arrêta devant la reproduction d'une sculpture intitulée *Celle qui fut la belle heaumière*, sculpture cruelle représentant, seins flasques, peau parcheminée, une vieille au corps ravagé par le temps. Cette fois, la belle blonde ne put contenir sa frayeur et se mit à pleurer. Rémi s'efforça de la consoler, mais, au cours des semaines qui suivirent, l'affolement qui venait de s'emparer d'elle devant le spectacle atroce du vieillissement ne fit que s'accentuer.

Cette hantise devint si obsédante qu'une nuit, en larmes, elle supplia Rémi de la ramener à Williamstown. Certes, dans le monde de l'art, elle devait passer ses journées à garder la pose, assise dans un tableau, mais dans ce monde-là, depuis cent ans, elle avait toujours vingt ans et, pour peu qu'elle y retournât, elle échapperait de façon définitive aux flétrissures du temps.

Rémi eut beau argumenter pour la convaincre de rester à Port-Saint-François, rien n'y fit. Aussi, au début de mai, remontèrent-ils dans la petite Volkswagen bleue et se dirigèrent-ils vers les montagnes de la Nouvelle-Angleterre.

Le soleil promenait son pinceau sur la toile de la nature, distribuant les verts, les ors, les roses avec une maîtrise éblouissante, mais les deux jeunes gens roulaient en proie à l'anxiété.

À Williamstown, les pommetiers en fleurs et les massifs de lilas parfumaient les rues ondulées comme de douces vagues. Rémi loua une cabine au même motel qu'au printemps dernier, motel dans la cour duquel jaillissait la fontaine d'un énorme saule pleureur.

À l'aube, après une ultime nuit d'amour, Rémi et la jeune blonde se rendirent dans le parc du musée. Ils descendirent de l'automobile et marchèrent, main dans la main, vers les buissons d'azalées qui flamboyaient au pied des marches de marbre blanc.

Depuis plusieurs semaines, la jeune femme avait réfléchi à la façon de réintégrer sa place dans le tableau. Elle devait, pour y parvenir, quitter son corps de chair. Et comme le tableau de Renoir baignait dans une atmosphère marine, elle devait faire appel à l'eau pour y retourner.

Du côté nord de l'édifice en marbre, s'arrondissait parmi la verdure un étang profond et calme. Ils s'y dirigèrent en silence.

À l'ouverture du musée, les gardiens s'émerveillèrent de constater que la jeune femme avait repris sa place sur la toile. C'était bien elle, souriante, nimbée d'éternité, elle, l'incarnation de la Beauté. Mais ils n'étaient pas au bout de leurs surprises car on leur apprit bientôt que deux corps venaient d'être retirés de l'étang. Deux corps étroitement enlacés.

Si l'on n'eut aucune difficulté à reconnaître dans cette noyée le personnage de Renoir, il fut plus ardu d'identifier Rémi, mais, dès que les formalités furent accomplies, la nouvelle se répandit jusqu'à Nicolet et les journaux locaux relatèrent en long et en large l'étonnante aventure de l'étudiant.

Comme la jeune femme, autant celle repêchée dans l'étang que celle représentée sur la toile, portait un anneau d'or qui témoignait de son amour pour Rémi, on en déduisit que le jeune homme, incapable de se séparer d'elle, avait dû la suivre dans le monde de l'art. Comme toutefois on ne l'apercevait pas sur la toile, on suggéra qu'il se tenait peut-être caché derrière le petit rocher peint au fond du tableau. Ainsi, soucieux de ne rien changer à ce chef-d'œuvre, il pourrait passer l'éternité, tout près de sa belle amie, à nager dans la mer et à se prélasser au soleil, discrètement abrité derrière ce rocher.

La clé des champs

À Nicolet, tout le monde connaît l'histoire de Benoît Richard, âgé d'une cinquantaine d'années et surnommé le peintre du Monteux parce qu'il peint de beaux paysages et qu'il vit seul au bord de la rivière, dans un chalet rudimentaire à l'extrémité du rang des Canards, dans la forêt qu'on appelle ici le Monteux.

À trente ans, Benoît était un courtier agressif, ambitieux, toujours tiré à quatre épingles, vêtu d'un complet gris rayé, de coupe classique, chaussé de souliers bien vernis. Membre de plusieurs associations, d'un club de golf, d'un club de tennis, on le voyait partout, harcelant le professionnel, le commerçant, le fonctionnaire ou le professeur pour leur proposer des abris fiscaux, des sociétés en commandite de films, des sociétés d'exploration minière, un REER, des fonds mutuels, des émissions d'obligations municipales ou des actions privilégiées. Il se présentait aux funérailles des nantis, surveillant les héritages, profitant de l'insécurité des veuves à qui il proposait des plans de gestion. Une de ses tantes habitait une maison pour personnes âgées; il lui rendait souvent visite, se faisait présenter aux vieilles, leur apportait des bonbons, des chocolats, offrait de les conduire à l'épicerie, à l'église, flairant les fortunes mal administrées. Il disait souvent: «Il faut que je me rende à tel enterrement, à telle réception pour serrer la pince d'Untel, d'Unetelle», comme s'il vivait dans un monde de crabes.

Chaque jour, lisant la section «Report on business» du *Globe and Mail*, il se répétait: «L'audace est la clé du succès.»

Un matin, lui toujours si pressé, il resta pantois devant le très grand miroir fixé au-dessus du lavabo de sa salle de bains, car il n'aperçut pas son reflet dans la glace. Agacé, il s'impatienta, fouilla du regard les profondeurs de la surface vitrée. Lorsqu'il entrait dans sa salle de bains, il se voyait, dans le miroir, depuis la tête jusqu'aux genoux. Une fois près du lavabo, il se voyait de la tête jusqu'à l'aine. Mais ce matin-là, le miroir reflétait l'image du chambranle de la porte, des murs, du plafond, de tout, hormis sa personne.

Benoît n'avait pas le temps d'attendre. Il entreprit donc de se faire la barbe, se badigeonnant de mousse les joues et le menton. Badigeonnant au hasard, rasant au hasard, proférant de retentissants jurons lorsqu'il se fit une petite entaille sous le nez. Et voici que se présenta soudain son reflet. En pyjama, bâillant, les yeux à demi fermés, le reflet vint se poster presque en face de lui. Presque car il ne lui renvoyait pas l'exacte réplique de lui-même. C'était un reflet autonome, encore endormi, regardant au plafond, lanternant, l'air très ennuyé. À aucun moment, il ne se fit la barbe et, lorsque le fougueux jeune courtier entreprit de nouer sa cravate, le reflet nonchalant ne lui fut, là non plus, d'aucune aide. Si bien qu'au moment de quitter la salle de bains, Benoît leva le poing pour frapper ce double détestable et il l'aurait fait, n'eût été la crainte de se couper en fracassant la glace. Il partit en trombe, se disant qu'il pourrait finir sa toilette au bureau, mais le miroir du bureau ne lui renvoya aucun reflet. Toute la journée, il fut excédé à l'idée que sa barbe était mal taillée, et il revint à la maison, le soir, toujours d'humeur massacrante.

Les jours suivants, même scénario. Le reflet continua d'apparaître avec beaucoup de retard dans le miroir, s'y présentant l'air débraillé, à peine tiré du sommeil, musardant et refusant de collaborer à la toilette de Benoît.

À cette époque, le courtier avait pour maîtresse la fille d'un marchand cossu. Elle s'appelait Line et, bien qu'il en appréciât les charmes, il sortait avec elle dans l'espoir de vendre des actions à son père et d'aller ainsi se chercher de substantielles commissions.

Son mariage tournait à l'échec. Il songeait à la séparation. Aussi, un soir, sa femme s'étant absentée pour une semaine, il invita chez lui la belle Line aux longs cheveux blonds. Mais la jeune femme s'ennuya ferme en sa compagnie car, même pendant l'amour, Benoît ne pouvait s'empêcher de parler de chiffres.

À l'aube, lorsqu'elle voulut se rafraîchir, il refusa de l'accompagner sous la douche, redoutant qu'elle lui pose des tas de questions en constatant son absence d'image dans la glace ou, pire encore, craignant de voir apparaître dans le miroir son paresseux reflet.

Après le départ de Line, il se prépara hâtivement. Mais comme il commençait à se faire la barbe, il vit, à la base du miroir, une superbe jambe nue qui pointait le pied vers le ciel. Puis une autre jambe, poilue celle-là, s'allongea contre la première. Puis apparurent des fesses d'homme qui disparurent aussitôt. Puis de longs cheveux blonds balayèrent la base de la surface vitrée. Puis une nuque d'homme bascula rapidement, une nuque qu'il reconnut pour sienne. Éberlué, malgré le temps qui le pressait – Benoît avait la manie de consulter à tout moment sa montre –, il approcha la figure de la glace pour tenter de voir ce qui se passait dans la pièce qui s'y reflétait. Sa stupéfaction fut totale en constatant qu'un homme et une femme, de toute évidence, y faisaient l'amour, s'ébattant sur le tapis puisqu'il ne parvenait pas à les apercevoir au complet. Et soudain, il vit dans le miroir le visage de Line, éclatant de joie, et il se vit lui-même, bien réveillé cette fois, riant aux éclats, embrassant la jeune femme et la possédant avec une fougue qu'il ne se connaissait pas. C'en était trop! Au moment où Benoît devait partir à la course pour le bureau, son reflet, ayant séduit le reflet de Line, lui faisait l'amour en la comblant de félicité.

Au cours de la journée, il voulut téléphoner à la jeune femme pour lui dire que son reflet était resté dans le miroir, mais il craignit de passer pour complètement timbré ou, ce qui était aussi inacceptable, pour un esprit fantaisiste. Finalement, plusieurs clients importants lui firent reporter cet appel, que d'ailleurs il ne tenait plus à acheminer car, au fond, il en voulait à Line d'avoir laissé son reflet blond faire la fête avec le sien.

Il ne dormit pas cette nuit-là, se levant à plusieurs reprises pour jeter un coup d'œil sur le miroir où continuaient de s'ébattre les deux amants.

À l'aube pourtant, il sombra brièvement mais profondément dans le sommeil. Et lorsque la sonnerie du réveil le fit sursauter, il vit sur sa table de chevet une toute petite clé qui l'intrigua beaucoup jusqu'au moment où il comprit qu'il s'agissait de la clé des songes.

Benoît avait horreur des rêves. Il ne s'occupa donc pas de la clé, s'empressant de s'habiller car il avait peu de temps. Mais une fois dans la salle de bains, sa fureur d'assister aux ébats des amants, attisée par une nuit blanche, s'accrut encore. Il lui vint à l'esprit de fracasser la glace, mais, avant de passer aux actes, il observa de près le miroir et c'est alors qu'il découvrit, du côté droit, sur la bordure, une minuscule serrure. Pourquoi ne l'avait-il pas aperçue précédemment? Était-il possible d'accéder à l'envers du miroir? La curiosité l'emporta sur son habituel bon sens. Il courut dans sa chambre, revint avec la petite clé, l'introduisit dans la serrure: le miroir s'ouvrit comme une fenêtre. Mais l'étonnement de Benoît fut plus grand encore lorsqu'il vit, derrière, au lieu du mur qu'il s'attendait à trouver, une pièce identique à la salle de bains. Au risque d'arriver en retard au bureau, il monta sur le comptoir du lavabo et sauta dans cette pièce avec l'intention bien arrêtée de mettre son poing dans la figure de son reflet.

Mais la glace se referma et Benoît, ayant oublié la clé sur le comptoir du lavabo, se retrouva seul de l'autre côté du miroir. Seul car, en le voyant arriver, son reflet et celui de Line s'étaient empressés de sortir du miroir, se retrouvant, eux, dans la salle de bains que le jeune courtier venait de quitter.

Alors Benoît, incapable de revenir sur ses pas, fut pris de panique. Il avait devant lui un lavabo surmonté d'un miroir, mais désormais, il vivait dans un monde inversé: son bras droit devenait son bras gauche et vice-versa. Son cœur battait du côté droit. Pour consulter sa montre, il dut lever son poignet droit. Et pour comble, il aperçut, dans la salle de bains, son reflet qui embrassait à pleine bouche le reflet de Line. Le reflet de la jeune femme sortit de la pièce, retournant vraisemblablement retrouver Line. Quant au reflet de Benoît, il quitta la pièce d'un pas lent, l'air heureux et débonnaire.

Comment allait-il pouvoir se tirer de cette situation absurde? Qu'allait-on penser de lui au bureau où il se piquait d'arriver à l'heure avec une ponctualité maniaque?

Il en était là dans ses interrogations lorsque survint sa femme. Partie depuis une semaine, voici qu'elle revenait à la maison. Et en compagnie de son amant, un jeune poète aux yeux rêveurs.

Elle fut surprise de voir son mari prisonnier du miroir, tandis que celui-ci, consterné, lui faisait signe de l'aider à sortir de cette surface vitrée. Il tenta de lui montrer la petite clé restée sur le comptoir du lavabo mais elle avait disparu.

Sa femme le regarda s'agiter, vêtu de son complet gris rayé, consultant à tout moment sa montre à son poignet droit. Comme ce geste avait la propriété de l'exaspérer et comme elle n'avait pas l'intention de voir son mari chaque fois qu'elle se regarderait dans la glace, elle décida de dévisser le miroir. Aidée de son amant, elle transporta le miroir dans son automobile. Ils s'éloignèrent à quelques kilomètres de Nicolet, roulèrent sur le rang des Canards, pénétrèrent dans la forêt du Monteux par un étroit sentier et laissèrent là le miroir, debout sur la mousse, appuyé au tronc d'un arbre. Puis ils rentrèrent à la maison, bien contents de s'être débarrassés du mari.

Pris de peur, Benoit se débattit comme une bête piégée, mais rien n'y fit et il demeura captif du miroir. Jusqu'au jour où une branche, cassée par le vent, s'abattit sur la surface vitrée et la fit éclater en miettes. Alors, brisé lui aussi en morceaux, Benoît sut qu'il lui faudrait affronter sept années de malheur.

Pendant ces sept années, il songea souvent à retourner en ville afin de réintégrer sa place dans la société, mais il ne parvenait pas à regrouper en un tout cohérent les fragments de sa personne. Sur un de ses pieds, posé dans une touffe de thé des bois, poussèrent des champignons orange. Des mésanges et des geais bleus s'emparèrent de ses cheveux pour en tapisser leurs nids. Des pics à tête rouge perforèrent une de ses jambes devenue sèche comme un tronc d'arbre mort. Une de ses mains, tombée dans la fourche d'un érable, y prit racine et au bout de ses doigts s'ouvrirent de belles feuilles. Ses yeux se perdirent parmi les raisins d'une vigne sauvage. Ses oreilles se fixèrent comme des loupes parmi l'écorce d'un frêne. Des violettes poussèrent dans les trous de son nez remplis d'humus. Sa poitrine, couchée dans les herbes hautes d'une clairière, se couvrit de boutons-d'or. Et les spirales de son cerveau, répandues sur le sol, se dressèrent en crosses et donnèrent de belles fougères.

Ce n'est qu'au terme de ces sept années que Benoît parvint un jour à rassembler tous ses morceaux. Mais ce n'était plus le même homme. Il n'aspirait désormais qu'à vivre au rythme de la nature. Il s'était si bien familiarisé avec la présence des oiseaux, des plantes, des bêtes, des arbres qu'il n'était plus question pour lui de retourner en ville. Il éprouvait au sein de cette forêt une sensation de bien-être qui le comblait.

Une chose pourtant le chagrinait. Lorsqu'il regardait la surface d'un ruisseau, aucune image de lui-même ne se reflétait sur l'onde. Alors il contemplait, envieux, le reflet magnifique des arbres sur l'eau et il lui vint le goût d'essayer de reproduire ce spectacle avec un pinceau et des couleurs. Il se rendit à Nicolet où il eut du mal à se faire reconnaître car il portait une barbe hirsute et des vêtements élimés. Avec de l'argent retrouvé dans l'une de ses poches, il se procura de quoi peindre et revint vivre dans la forêt du Monteux où il se construisit une cabane.

Un après-midi d'été, il se rendit à l'orée du bois et s'assit au bord d'un pré rose de salicaires. Alors qu'il travaillait à reproduire, réverbérée sur la surface d'un ruisseau, la lumière du soleil riant sur les feuilles, il aperçut, au fond de l'eau, une petite clé dorée. Intrigué, il plongea le bras dans l'onde et dès qu'il toucha la clé, il vit apparaître son reflet, tout souriant, sur le miroir liquide. Rien désormais ne pourrait plus manquer à son bonheur. Il retira sa main de l'eau. Dans sa paume brillait la clé des champs.

ROLAND DUPONT

«S'appeler Dupont et être condamné à traverser le pont chaque jour.» Combien de fois Roland s'était-il répété cette phrase au cours des trente années pendant lesquelles il avait franchi matin et soir le pont Laviolette pour se rendre à son travail! Car bien que vendeur de meubles à Trois-Rivières, il avait toujours habité sur la rive sud, à Nicolet. Ce pont, il s'était plaint de l'emprunter trop souvent, mais maintenant, ayant perdu son emploi après la faillite du magasin, il regrettait de ne plus le traverser avec la même régularité qu'autrefois.

Depuis un an, s'astreignant à marcher pour ne pas s'incruster dans sa chaise, il errait par les rues de Nicolet. À son âge, cinquante ans, il savait bien qu'on ne le réengagerait nulle part. Et il frémissait de désarroi à l'idée de se retrouver pour toujours face à rien.

Heureusement, Georgette, sa femme, était là pour lui remonter le moral. Mais un peu à la manière d'un taon qui harcèle un bœuf. L'été, ils se rendaient sur la plage de Port-Saint-François, au bord du Saint-Laurent. Ils se promenaient en chaloupe, admiraient les couchers de soleil. «Essaie de voir le bon côté des choses, répétait sa femme, regarde les belles choses de la vie.» Et elle lui montrait le fleuve scintillant de lumière, les bateaux à la moustache d'écume, les goélands pareils à des flocons de nuages venus planer à la surface de l'eau, les petits voiliers filant sur les vagues, et la vaste perspective qui conduisait le regard jusqu'au pont Laviolette qu'on apercevait dans le lointain enjambant gracieusement le fleuve. Mais Georgette finissait par l'agacer avec son optimisme forcé. Et pour Roland, les *belles choses de la vie* n'étaient qu'un masque déguisant mal la face hideuse du grand rien.

«Au fond, s'avoua-t-il un soir, ce n'est pas seulement depuis que j'ai perdu mon emploi que je dois affronter le vide. Au fond, j'ai toujours été en face de rien. Je suis en quelque sorte né à moitié, je suis comme resté hésitant sur le seuil de l'existence. Je ne suis pas entré de plain-pied mais sur un seul pied dans la vie. Et même dans les moments les plus intenses, il y a toujours eu une partie de moi qui ne participait pas, qui n'existait pas.»

C'était pour compenser ce manque, reconnut-il, qu'il avait toujours écrit son nom en gros caractères. Son nom dont il détestait la banalité. «Si le rien avait porté un nom, se disait-il parfois, il se serait sans doute appelé Roland Dupont.» Une signature énorme qui étonnait les gens, tant elle contrastait avec l'homme effacé qu'était Roland.

Et sans doute fallait-il reconnaître là la cause de son insurmontable difficulté à entrer en contact avec les autres. Il n'y parvenait qu'à travers son métier de vendeur. Pour le reste, lorsqu'il se trouvait en présence de quelqu'un, il élevait la voix et se lançait dans un monologue sur le baseball, le hockey, le football. Il ennuyait tout le monde alors qu'il ne rêvait que de jeter un pont entre lui et les autres.

Et voici qu'à cinquante ans, sans travail, sans but, au plus profond d'une période dépressive, Roland était plus que jamais confronté au rien. Le matin, s'apercevant dans le miroir, il marmonnait: «C'est la tête du rien que j'aperçois.» Un rien chauve, ridé. Et pourtant, paradoxalement, un rien qui commençait à engraisser. À force de vanter le confort des divans, des fauteuils, il avait fini par leur ressembler: molletonné du menton, molletonné du ventre, molletonné du derrière. En sorte qu'il avait l'allure d'un fauteuil usé, aux ressorts affaissés, qu'on va mettre au rebut.

Novembre roulait dans le ciel des cumulus noirs pareils à d'énormes divans effilochés, de vieux fauteuils de nuages dont toute la bourre se dispersait au vent. Et le pont devint pour Roland une véritable obsession. Surtout les jours de brume où l'arche centrale disparaissait complètement, ce qui transformait la structure d'acier en une montée mystérieuse conduisant vers un ailleurs, vers un autre monde peut-être meilleur. Roland chassait cette idée absurde car il ne croyait pas à l'au-delà. Il n'aspirait en fait qu'à sortir de la vie.

Aussi, par un après-midi sinistre et froid où l'arche centrale s'estompait dans le brouillard, il se rendit jusqu'au milieu du pont, arrêta son auto, enjamba le garde-fou et sauta dans le vide.

Il avait redouté de souffrir lorsque son corps heurterait la surface de l'eau, mais il perdit connaissance bien avant. Il avait souhaité que sa misérable existence s'efface à jamais dans le néant. Aussi fut-il très étonné de se retrouver intact, bien vivant, dans un autre univers, certes, mais tout semblable à celui qu'il venait de quitter. Il se tenait debout, sur la rive d'un grand fleuve. C'était l'été. Le soleil – un autre soleil – répandait sa joie sur cette plage où des baigneurs, allongés sur des serviettes colorées, devisaient paisiblement, tandis que des enfants jouaient au ballon. Des petits voiliers frémissaient comme des papillons multicolores sur la cime des vagues. Des goélands planaient. De belles jeunes femmes riaient au bord de l'eau, leurs longs cheveux ornés de fleurs de lumière. «Serais-je rendu au Paradis?» murmura Roland qui se sentait renaître. La mort débouchait-elle sur un au-delà charmant où, dépourvu d'angoisse, l'on n'avait qu'à se balader pour l'éternité parmi ce que sa femme appelait *les belles choses de la vie*? Oubliant son âge, Roland se sentit transformé par l'espoir. Sa mort était peut-être en définitive le geste le plus positif qu'il eût jamais posé. Il s'avança sur la plage, au milieu des jeunes gens en fête, lorsque, tournant la tête vers la droite, il distingua dans le lointain, enjambant gracieusement le fleuve, la silhouette d'un pont.

EDMOND VERNEUIL

En avril 1951, après une nuit agitée, Edmond Verneuil décida de se fixer pour de bon dans sa ville natale de Québec. Il venait de célébrer son cinquantième anniversaire et il se sentait las de sa carrière pourtant réussie de violoniste appelé à donner des concerts un peu partout au Canada et aux États-Unis. Désormais, il souhaitait prendre des élèves et continuer d'exercer son art sans être contraint à de perpétuels déplacements d'une ville à l'autre.

Comme il n'avait ni femme ni enfants, il fit un rapide bilan de son existence. En tant que violoniste, il avait connu le succès, mais sur le plan du cœur, il avait toujours vécu comme la cigale de la fable, insouciant, passant sans trop de drame d'une aventure sentimentale à une autre. Et pourtant, il avait connu le grand amour, une fois, au début de la vingtaine, lorsque pendant deux années il avait poursuivi des études musicales à Paris. Malheureusement, cette femme pour qui il s'était consumé de passion était l'épouse de son ami et accompagnateur Éloi Ducharme. Elle s'appelait Anita. Âgée de vingt-trois ans, tout comme lui. Ils s'étaient plu dès la première rencontre, puis s'étaient aimés, se voyant tous les jours pendant ces deux années. Inséparables mais n'ayant pas le courage, à cause d'Éloi, d'assumer jusqu'au bout cet amour. Finalement, Anita était demeurée en Europe avec son mari. Edmond Verneuil, lui, était revenu au Québec continuer sa carrière. Il y avait vingt-sept ans de cela et ils ne s'étaient jamais revus.

«Comment peut-on se perdre de vue pendant aussi longtemps après s'être aimés à la folie?» se demanda Edmond. La peur, la peur seule pouvait expliquer une telle attitude. Comme si le moindre signe de vie de la part de l'un ou de l'autre des deux amoureux pouvait agir à la manière d'une étincelle près d'un baril de poudre. La peur de se mettre le feu au cœur.

Ce n'était pas la première fois évidemment qu'il pensait à Anita, mais ce matin-là, sa vie lui parut si vide que le souvenir de la jeune femme de jadis l'envahit complètement. Elle remonta des profondeurs sombres de son être comme le soleil, à l'aube, sort de la nuit. Lorsqu'il pensait à elle, d'ailleurs, c'était toujours comme on pense au soleil, à la lumière. À cause de son rire éclatant, sans doute. Pas le rire des gens ordinaires, qui passe inaperçu, mais le rire d'un personnage d'exception, un rire qu'on s'arrête pour écouter comme une musique, le rire de Vénus, peut-être, lorsqu'elle émergea de la mer dans toute sa séduisante nudité et qu'elle excita chez les hommes le désir d'aimer. Le rire qui fuse de certaines femmes, au plus intense de l'amour, et qui laisse croire que le malheur n'a jamais existé.

Edmond habitait alors sur la petite rue des Artistes, dans le quatorzième arrondissement. Les Ducharme vivaient tout près de là, dans un humble appartement, sur la rue de la Tombe-Issoire. Presque chaque jour, Éloi devait s'absenter pour suivre ses cours de piano et, comme Anita détestait rester seule, elle venait sonner à la porte d'Edmond. Ils allaient manger des croissants au café du coin puis ils partaient pour une longue promenade dans le parc Montsouris, refaisant inlassablement le tour de l'étang aux cygnes, marchant jusqu'au Bardo, reproduction du palais des beys de Tunis, errant par l'allée de la Mire et l'allée du Lac. Jamais ils ne se trouvaient à court de conversation comme deux oiseaux qui gazouillent, le matin, dans le feuillage des platanes. Et lorsqu'ils revenaient, bras dessus, bras dessous, ils éprouvaient toujours une joie immense à se sentir jeunes, beaux et bien vivants dans cette rue de la Tombe-Issoire dont le nom sinistre les faisait rire à cet âge merveilleux où l'on se croit immortel.

L'après-midi, c'était au tour d'Edmond de se rendre à ses cours; le soir, tous trois réunis ou avec des amis, ils faisaient de la musique. Et lorsqu'Éloi devait s'absenter pour la soirée, Edmond, accompagné au piano par Anita, créait une atmosphère magique dans la pièce en jouant la *Méditation de Thaïs* de Massenet, le *Caprice viennois* et *Liebesfreud* de Kreisler. Les deux jeunes gens, emportés dans un même rêve d'harmonie, étaient plus unis par le partage de ces mélodies qu'ils ne l'eussent été par un anneau. Lorsqu'ils jouaient, ils portaient au doigt, invisible parce que taillée à même la pierre précieuse du songe, une bague de musique. Ils allaient ensuite boire des tisanes de tilleul-menthe à la terrasse des cafés du boulevard Jourdan puis ils revenaient à leur domicile respectif après avoir échangé des baisers et de longues étreintes. Et ces deux-là, qui auraient dû vivre côte à côte jusqu'à la fin de leurs jours, n'avaient jamais cédé davantage au désir fou qui les poussait à s'enlacer nu à nu. Puis la vie les avait séparés.

«Comment peut-on se perdre de vue pendant aussi longtemps?» se demandait Edmond. Il aurait dû aussi faire preuve de plus d'énergie, retourner à Paris, tout expliquer à Éloi et ramener Anita avec lui. Mais il avait reporté cela d'une semaine à l'autre, d'une année à l'autre, essayant de s'étourdir dans des aventures légères, et le voici qui se retrouvait seul, à cinquante ans, avec le sentiment d'avoir raté sa vie.

Mais il n'était pas trop tard peut-être. Sans doute ne possédait-il que maintenant la maturité suffisante pour poser ce geste dont il avait rêvé pendant tant d'années. Sa décision fut rapide. Il se rendrait à Paris dans les plus brefs délais, retrouverait, grâce aux renseignements fournis par des amis, l'appartement des Ducharme et ramènerait avec lui Anita, qu'il aimerait encore malgré les atteintes du temps.

Quelques jours plus tard, Edmond Verneuil embarquait, au port de Québec, à bord d'un grand paquebot blanc immatriculé en Italie et portant le beau nom de *Stradivarius*, à destination de Southampton et du Havre. Le soleil, étonnamment chaud, découpait des dentelles de glace dans les monticules de neige accumulés le long des rues, mais Edmond, surpris, éprouva une telle sensation de froid qu'il dut se coiffer d'un chapeau de feutre brun et revêtir le lourd manteau de raton laveur, long jusqu'aux chevilles, légué par son père, et qu'il appelait son capot de chat. Même vêtu de ce chaud manteau, d'ailleurs, il ne pouvait réprimer des frissons. Et comme si son instrument pouvait lui servir de talisman, il emporta son violon dans son étui noir.

La traversée fut houleuse. Au large de Terre-Neuve, un ouragan déferla, soulevant des vagues gigantesques. On dut river au plancher les tables et les chaises. Pendant six jours, Edmond resta couché, en proie au mal de mer.

Une fois sur le quai du Havre, il se sentit très vieux et fatigué. Il pleuvait. Edmond prit le train pour Paris. Éloi Ducharme avait poursuivi une carrière européenne. Il n'était revenu au Québec qu'à quelques reprises, avec sa femme, sans jamais donner de nouvelles à Edmond. Cela, Edmond le savait par des amis qui lui avaient donné la dernière adresse connue des Ducharme, rue Madame, près du jardin du Luxembourg. C'est donc là qu'Edmond se rendit en tout premier lieu.

Il s'étonna de constater que Paris n'avait à peu près pas changé depuis 1924, époque où il y avait fait ses études. Il faisait beau. Les marronniers préparaient leurs girandoles de fleurs. La tour Eiffel dressait sa haute tige printanière. Le soleil s'épanouissait sur l'azur comme si la grande rose de la façade de Notre-Dame, se détachant de la cathédrale, se fût mise à rouler dans le ciel. Edmond se présenta à l'adresse indiquée, toujours vêtu de son capot de chat, son étui à violon à la main. Personne, à cet endroit, ne connaissait les Ducharme. Déçu, Edmond alla s'asseoir au jardin du Luxembourg. En s'informant à la Délégation du Québec, il finirait bien par retrouver ses anciens amis, se convainquit-il mais il voulut auparavant se rendre sur les lieux de ses amours et il prit le métro en direction de la Cité universitaire. Il se promena avec beaucoup d'émotion dans les allées inchangées du parc Montsouris puis il marcha jusqu'à la rue de la Tombe-Issoire où il arriva très essoufflé. Observé par les passants, il se sentait mal à l'aise sous le poids du manteau de fourrure qui lui donnait l'allure d'un ours égaré dans la ville. Pourtant, malgré la chaleur de ce beau jour de printemps, il continuait de frissonner. Parvenu devant l'appartement jadis occupé par les Ducharme, il ne put résister à l'envie d'aller frapper à la porte. Une étudiante blonde, portant un pantalon rouge, vint lui répondre, primesautière. Comme elle ne comprenait pas les murmures d'Edmond, elle baissa le volume de sa radio qui diffusait de la musique rock. Puis elle s'esclaffa lorsqu'Edmond lui demanda si elle n'avait pas connu Anita et Éloi Ducharme.

— Mais, mon pauvre monsieur, s'écria-t-elle, comment voulez-vous que j'aie connu des personnes ayant vécu ici en 1924? J'ai dix-huit ans. Je suis née en 1972!

— 1972? marmonna Edmond, mais ce n'est pas possible puisque nous sommes en 1951.

— 1951? s'exclama-t-elle en pouffant de rire, mais d'où sortez-vous? d'où sortez-vous? nous ne sommes pas en 1951, nous sommes en 1990!

Craignant soudain d'être en présence d'un fou, elle cessa de rire et referma la porte. Suffoquant de surprise, Edmond retourna en titubant vers les platanes du parc Monsouris où il s'affaissa sur un banc.

«1990? 1990? se répétait-il, mais ce n'est pas possible. Je suis né en 1901. Cela me donnerait quatre-vingt-neuf ans! Ce n'est pas possible!» Et soudain, tout autour de lui se mit à changer. Un vacarme assourdissant monta du boulevard Jourdan: klaxons, sirènes, crissements de pneus, accélérations de moteurs. Le bourdonnement d'une intense circulation vint rompre la quiétude du parc. Malgré cette agression subite par le bruit et malgré une sensation de vertige, Edmond retrouva la force de marcher, mais il se sentit si vieux et si mal en point qu'il décida de rentrer au plus vite à Québec. Il était certain de trouver une agence de voyages près de la gare Montparnasse. Il s'y rendit en métro, dans un wagon rempli à craquer et, en arrivant sur la place de la gare, la stupéfaction lui coupa le souffle. Toute cette zone qu'il connaissait bien avait été démolie pour céder la place à un grand centre d'affaires. Devant lui s'érigeaient les deux cent neuf mètres de la tour Montparnasse jaillie du sol comme un immense geyser de glaces pare-soleil. Il dut, pour atteindre l'agence, se frayer un chemin dans une cohue d'automobiles, de motos et de piétons. Un autre choc l'y attendait: personne n'avait entendu parler du paquebot *Stradivarius* et Edmond dut acheter un billet d'avion. Il restait quelques places sur un Boeing 747 d'Air France en partance le soir même. Edmond se fit conduire à l'aéroport Charles-de-Gaulle en taxi. Il ne connaissait même pas le nom de cet aéroport et, tout au long du trajet, le taxi se frayant difficilement un passage dans les embouteillages, il eut tout le loisir d'apercevoir, crevant l'azur, les nombreux gratte-ciel faisant maintenant de Paris une ville pour lui méconnaissable.

À son arrivée à Québec, il était près de midi. Il se fit conduire, épuisé, à son appartement de la rue Dessanne. Comme il cherchait à introduire sa clé dans la serrure, des étrangers ouvrirent la porte et le repoussèrent sur le trottoir en criant qu'ils allaient appeler la police.

Ne comprenant plus rien à cette aventure, mais habité par un sinistre pressentiment, Edmond se mit en marche vers le cimetière de Sillery. Le temps semblant s'être complètement déréglé, on devait être maintenant à la fin de mai. Des lilas en fleurs enjolivaient la façade des maisons, sur les pelouses explosaient de joie les petits soleils des premiers pissenlits, il faisait étonnamment chaud, mais Edmond, de plus en plus renfrogné dans son manteau de fourrure, tremblait de froid. Près de la stèle funéraire appartenant à sa famille, un pied de cœurs saignants allongeait les courbes de ses minces branches chargées de petits cœurs rouges comme si les cœurs des pauvres défunts pouvaient ainsi, chaque printemps, sortir de terre pendant quelques jours pour éprouver la douceur de la lumière. Il s'approcha, lut les caractères gravés dans le marbre: EDMOND VERNEUIL 1901-1980, et il se mit à frissonner. Ainsi, on était bien en 1990 et lui, Edmond Verneuil, était décédé depuis dix ans; alors que faisait-il à errer ainsi parmi les vivants? Pourquoi s'était-il cru âgé de cinquante ans? Pourquoi avait-il entrepris ce voyage insensé? Était-ce parce que les morts, lorsqu'ils ont l'impression d'avoir raté leur vie, trouvent parfois la force, au printemps, de s'arracher au néant et de revenir à la surface de la terre pour essayer de retrouver un être aimé, de contrer le destin en tentant de recommencer leur jeunesse et leurs amours?

Edmond regarda autour de lui l'herbe gorgée d'eau et de soleil, des parfums de lilas flottaient dans l'air comme des baisers mauves, et il se sentit soudain cruellement rejeté par la beauté du monde. Il se remit en marche sans savoir où aller. Il voulut revoir une dernière fois le visage aux traits fins d'Anita; il se dit qu'il possédait peut-être une photographie collée dans les albums de souvenirs qu'il avait précieusement gardés pendant toute sa vie. Mais ces albums, qu'en avait-on fait après sa mort, les avait-on jetés? Il s'en inquiéta puis il pensa que sa nièce, peut-être, qui manifestait de l'intérêt pour la généalogie, avait pu conserver ces volumes remplis de photographies et de programmes de concerts. Il trouva son adresse dans un bottin téléphonique et se dirigea vers la rue Lavigueur.

Lorsque la jeune femme, en ouvrant sa porte, aperçut ce revenant, debout dans son capot de chat, son étui à violon à la main, elle faillit tomber foudroyée, mais il l'apaisa d'un geste calme et ne s'approcha même pas pour l'embrasser.

— Geneviève, dit-il, d'une voix très douce, je m'excuse de te surprendre ainsi, mais sois certaine que c'est bien à contrecœur. Les morts ne doivent pas venir perturber les vivants. Aussi, je ne te demande que quelques minutes de ton temps et beaucoup de compréhension. Ne t'affole surtout pas, je ne resterai qu'un moment. Dis-moi, aurais-tu par hasard conservé après mon décès mes albums de souvenirs? Et si oui, te serait-il possible de les retracer rapidement?

Surmontant les premiers instants de panique, Geneviève parvint à se reprendre car elle avait beaucoup aimé son oncle et elle se persuada vite qu'il ne pouvait lui vouloir aucun mal. Elle voulut l'interroger, mais décida d'acquiescer d'abord à son désir. Elle avait, en effet, conservé avec respect les albums. Elle les sortit d'un coffre et les apporta à son oncle qui venait de s'asseoir au salon. Elle arrivait mal à croire à la réalité de cette apparition, mais il était bien là, dans son appartement, cela, elle ne pouvait le nier.

Son oncle lui ayant demandé de le laisser seul, elle se retira dans la cuisine où, sans faire de bruit, elle s'activa à de menues occupations pour tromper sa nervosité.

Resté seul au salon, Edmond feuilleta un album, s'étonna de constater qu'il ne possédait aucune photographie d'Anita et cela acheva de l'attrister. Il feuilleta un autre album et aperçut une photographie étrange sous laquelle il avait écrit: «Moi, à cinquante ans, sur la rue Dessanne.» Étrange car l'image ne reproduisait qu'un monticule de neige. Et c'est alors qu'il se sentit soudain glisser. À bout de force, épuisé par son voyage et par la déception, il se sentit tout doucement glisser comme si l'image, à la manière d'un sable mouvant, le happait en elle. Et lorsque Geneviève, intriguée par le silence, revint sur la pointe des pieds jeter un coup d'œil dans le salon, elle ne vit plus personne sur le divan. Elle s'approcha de l'album ouvert et, sur la photo portant l'indication «Moi, à cinquante ans, sur la rue Dessanne», elle aperçut, près d'un monticule de neige, son oncle debout, seul, coiffé d'un chapeau de feutre, vêtu de son capot de chat et tenant à la main un étui noir contenant son violon.

LES ANNEAUX

Après vingt-quatre années de mariage, Edgar et Mathilde Legris vivaient sur deux planètes séparées par un abîme de silence. Aucune querelle, aucune agressivité entre eux, mais, tournant chacun sur leur orbite, depuis des mois et des mois ils faisaient chambre à part. Au petit déjeuner, ils échangeaient quelques mots sur la température et les menus soucis quotidiens. Edgar partait pour son bureau de notaire. Mathilde, elle, passait de longues journées d'ennui, seule à la maison, ses deux enfants vivant à Montréal où ils poursuivaient leurs études.

Un soir, à moitié assoupie devant le téléviseur, elle se laissa distraire par un reportage sur le périple de la sonde spatiale Voyager qui se rapprochait des planètes de notre système solaire puis finissait par filer dans l'univers, porteuse d'un petit disque sur lequel était gravé un message amical destiné à d'éventuels habitants de l'espace.

Au cours de la nuit, Mathilde fut visitée par un songe. Elle se vit lançant aux confins du ciel une sonde à laquelle était fixé un disque d'or. Sur ce disque, elle avait gravé les mots: «Au secours!» Et soudain, venant du fond de la nuit, répondant à son appel, un être de clarté, laissant derrière lui, tel un météore, une longue queue de lumière, s'introduisit dans sa chambre. Il s'allongea sur elle, la comblant de tendresse puis, avant de la quitter, il lui fit don d'un magnifique anneau rose, lumineux, presque immatériel. Pas un anneau qu'on glisse autour d'un doigt, mais un grand anneau qui devait tourner autour d'elle en lui conférant un peu l'allure de Saturne. Mathilde se leva, l'anneau se mit à tourner à toute vitesse autour de sa taille. Il ne la touchait pas, mais l'éclairait et la suivait partout dans ses déplacements. Éblouie par ce spectacle, elle passa une partie de la nuit à rire et à se regarder dans le miroir en répétant: «Ça y est, j'ai l'air d'une planète!» À la fin, se dégageant de l'anneau, elle le déposa sur le tapis et se rendormit.

À son réveil, elle se remit à rire en se souvenant de son rêve mais, au sortir du lit, elle aperçut l'anneau sur le tapis. Étonnée, elle le rangea rapidement dans un coffre où elle conservait des lettres et autres souvenirs; après le départ de son mari, elle remit autour de sa taille l'anneau de lumière rose et, tout le jour, arborant un sourire, elle circula par la maison, se contemplant dans les miroirs, prenant des poses de danseuse, d'actrice, de déesse.

Lorsqu'Edgar rentra de son travail, elle s'empressa de cacher l'anneau dans le coffre. La nuit venue, elle se coucha et attendit.

L'être de clarté revint. Il revint d'ailleurs souvent pendant quelques semaines. Et chaque fois il lui offrait en présent un nouvel anneau. Mathilde en eut des bleus, des rouges, des jaunes, des verts. Son coffre secret était rempli d'anneaux. Elle les assortissait à ses robes et se promenait tout le jour, dans la maison, un bel anneau coloré tournant autour de sa taille et la nimbant de lumière. Elle avait l'impression d'être une jeune fille parée pour quelque étrange bal astral.

Au début, son amant de l'espace s'était contenté de lui manifester de la tendresse, mais, devenu plus entreprenant, il lui fit passionnément l'amour. Il l'entraîna même hors de la maison, hors de la ville, dans les champs. C'était l'été, les nuits étaient radieuses, les deux amoureux se roulaient dans la verdure avec tant de fougue qu'au matin, des prés couverts de trèfles et de marguerites portaient les traces de leurs ébats: des herbes écrasées formant des cercles. Les journalistes vinrent prendre des photos, alertèrent l'opinion publique. On parla d'extraterrestres dont les vaisseaux spatiaux, se posant sur le sol, dessinaient de mystérieux anneaux.

Une nuit, l'être de clarté vint chercher Mathilde à bord d'une soucoupe volante qu'il gara devant l'entrée du garage d'Edgar. Elle l'accompagna dans un vol qui les conduisit près de la Voie lactée. Au matin, Edgar s'étonna de voir sur l'asphalte des traces noires comme si quelque vaurien y avait fait crisser les pneus de sa moto.

Mathilde, elle, rayonnait de bonheur, mais elle regrettait de ne jamais voir le visage de celui que son cœur aimait. Elle possédait, par les journaux et la télévision, quelques notions sur les extraterrestres. On affirmait que certains d'entre eux, prenant forme humaine, circulaient dans les villes afin d'observer les Terriens. «Il est peut-être tout près de moi, chaque jour, sans que je le sache», se persuada-t-elle. Et elle se mit à regarder ses voisins avec des yeux nouveaux.

Un dentiste, justement, bel homme dans la trentaine, célibataire, venait d'emménager dans une maison voisine. Elle le voyait souvent, légèrement vêtu, tondre sa pelouse. Et Mathilde s'aperçut que, lorsqu'elle s'assoyait sur sa chaise longue, il regardait fréquemment dans sa direction.

Un jour qu'elle revenait de l'épicerie avec de nombreux sacs, le dentiste s'offrit à les porter. Elle le trouva charmant, ils engagèrent la conversation et finirent par parler de musique. Le dentiste lui prêta un disque compact, «c'est une musique qui vous transportera dans un autre monde», dit-il, mais lorsqu'elle ouvrit le petit coffret de plastique, elle reconnut le disque d'or qu'elle avait lancé, une nuit, dans l'espace. Le doute n'était plus possible. Le dentiste et l'être de clarté ne formaient qu'un seul et même homme. Le cœur de Mathilde battit à tout rompre. Il battit encore plus fort, quelques jours plus tard, quand le dentiste l'invita à faire une balade sur le lac Saint-Pierre, à bord de son voilier baptisé *La belle étoile*. Mathilde bafouilla, surprise par une telle proposition. «Êtes-vous libre?» lui demanda le dentiste. «Oui et non», répondit-elle. Et elle rentra chez elle. Elle se détestait d'avoir donné une réponse aussi confuse et elle détestait un peu son voisin de l'avoir placée dans cette situation. Elle le trouvait audacieux de lui proposer une telle aventure, mais, au fond, la perspective de se retrouver seule, libre, avec lui, sur son bateau, la fascinait. Elle savait bien d'ailleurs que cette invitation en déguisait une autre, beaucoup plus importante. Elle ne croyait pas vraiment à ce voilier; il s'agissait d'un tout autre périple: c'était certainement à bord d'une soucoupe volante qu'il l'invitait à monter, et elle sentait qu'en acceptant, elle ne reviendrait pas de ce voyage.

Elle passa la nuit à se retourner sur sa couche et à marcher de long en large dans sa chambre. «Si je pars, se répétait-elle, je ne garderai qu'un seul anneau, le rose, celui qu'il m'a donné lors de notre première nuit d'amour.» Elle le prit dans le coffre et il se mit à tourner autour de sa taille, l'auréolant d'un halo.

Au matin, lorsqu'Edgar se leva, il s'étonna de l'absence de Mathilde. Il sursauta en apercevant, sur la table de cuisine, bien en vue, une feuille portant un message d'adieu, sur laquelle reposait l'anneau de mariage de sa femme. Il s'empressa d'aller frapper à la porte de sa chambre. Il ouvrit. Resta bouche bée. Sur le lit et sur le tapis étaient répandus de grands anneaux rouges, bleus, verts, jaunes qui émettaient une étrange lumière.

LA DAME BLANCHE

Diane et René Letendre avaient toujours vécu un peu à la manière des romanichels. Ils louaient une maison dans un village, habitaient là pendant plusieurs mois puis ils déménageaient. Cette façon de vivre permettait à René, peintre paysagiste, d'exercer son talent dans diverses régions du Québec et de renouveler le sujet de ses tableaux au gré de ses déplacements.

Lorsqu'en octobre 1986, ils se mirent en route pour passer quelques mois dans le comté de Charlevoix, l'automne était à son plus beau. À partir de Saint-Tite-des-Caps commencent à rouler les hautes houles de montagnes: on dirait que le fleuve, s'élargissant pour devenir la mer, mêle ses vagues à celles de la terre et l'on ne sait plus bien, à cause du grand bercement, si l'on circule sur le sol ou sur des flots recouverts d'herbe, d'arbres, de fleurs. Et la lumière allume, de diverses couleurs, des prés qui parfois, presque verticaux sur les pentes, semblent se gonfler comme des voiles de navires et parfois se découpent telles des îles. Ils s'arrêtèrent au belvédère surplombant la combe où se love Baie-Saint-Paul pour contempler le panorama. Le bleu du ciel, festonné d'une écume de nuages, était une sorte de mer volante, légère, qui communiquait l'apaisement de sa fraîcheur à la terre. Le fleuve, au loin, léchant la base des montagnes comme une chatte ses petits, baignait les rives de la baie d'une tendresse bleue. Dans tout ce bleu éclataient les ors et les rouges des forêts d'automne. Et les couleurs luisaient de façon si intense qu'on finissait par les entendre. Peut-être à cause de ce vaste amphithéâtre où s'amplifiaient leurs teintes comme des sons. Mais on les entendait. Les coups de cymbales de l'or, les trompettes du rouge, les hautbois de l'herbe, les flûtes de la lumière, les contrebasses des trous d'ombre, les violons de l'air bleu: de tout ce paysage montaient les harmonies d'une musique grandiose qui berçait le cœur et donnait le goût du bonheur.

René loua, à Baie-Saint-Paul, une maison ancienne, sur la rue Sainte-Anne, qui lui rappela celles des toiles de Clarence Gagnon, une maison en bois jaune, à toit mansardé, avec des fenêtres à petits carreaux, des portes et des châssis verts, et, au fond de la cour, un petit hangar peint en bleu.

Ils allèrent aux Éboulements, à Saint-Joseph-de-la-Rive, à l'île aux Coudres. René s'arrêtait un peu partout, plantait son chevalet dans la nature. Rempli de gaîté, de vitalité, il peignit une quantité étonnante de tableaux.

René était un cyclothymique. Ses périodes d'exaltation, coïncidant avec la venue de l'inspiration, cédaient habituellement la place à des périodes dépressives au cours desquelles il se mettait à boire sans pouvoir se contrôler. Et ces accès de neurasthénie s'accentuaient à l'approche du froid. René, en effet, détestait l'hiver. Il éprouvait une véritable haine pour le blanc. Comme il le disait parfois: «Peut-être ne suis-je devenu peintre que par haine du blanc et peut-être est-ce pour cette raison que je dépense tant d'énergie à recouvrir avec des couleurs vives la blancheur des toiles.»

Il aurait dû, lui qui aimait tant déménager, aller passer ses hivers dans le Sud, mais ses moyens financiers ne lui permettaient pas des voyages aussi dispendieux. Aussi se résignait-il, chaque année, à supporter les interminables mois de neige.

En novembre, dès que les feuilles furent tombées, l'enthousiasme de René s'effondra. D'un coup. Diane s'employa du mieux qu'elle put à lui remonter le moral, mais peine perdue car il ne tarda pas à sombrer de nouveau dans l'alcool. Dans ses périodes de création, René était un homme charmant, débordant d'entrain bien qu'accaparé par son labeur, mais lorsqu'il cessait de peindre, il devenait impossible à supporter. Les caisses de bière s'accumulèrent dans la maison. Le peintre rentrait tard, se laissait tomber lourdement sur le lit. Le matin, souvent, il vomissait dans les toilettes. Et chaque journée commençait par le même rituel: Diane le trouvait, assis dans une berceuse en rotin, en train de boire une grosse bouteille de bière. Obsédé par la mort, il ne parlait plus que de son âge, des ravages exercés sur lui par le temps. Il mettait la faute sur la pluie froide, les nuages gris surchargeant le ciel. Parfois, réunissant ses forces, il invectivait novembre, parlait de se remettre à peindre, se proposait d'organiser des expositions, débordait de projets, mais dès la fin du jour il s'effondrait de nouveau. Il sombrait dans l'ennui, allait passer la soirée à la taverne, à boire et à jouer aux dards, rentrait complètement ivre.

Diane, désespérée par cette situation, tenta de lui redonner du cœur à l'ouvrage. Elle transforma une pièce de la maison en atelier, disposa des bouquets de fleurs séchées, d'hydrangées, suspendit des épis de maïs coloré, rassembla dans des plats de porcelaine des courges décoratives, mais René ne mit jamais les pieds dans cette pièce.

Diane crut qu'un changement de maison serait bénéfique. Ils cherchèrent un nouvel endroit où habiter. Circulèrent le long de la côte et finirent par opter pour le menu village de Port-au-Persil, dans un site grandiose, au fond d'une anse.

Lorsqu'on quitte la route principale pour se diriger vers le minuscule hameau de Port-au-Persil, on dévale une pente tellement raide et tellement longue qu'on a l'impression de tomber des nuages. Diane et René y étaient venus quelques fois, au début de l'automne, prenant plaisir à se laisser filer sur cette pente immense festonnée d'épilobes roses et de verges d'or, mais à la mi-décembre, la pente, luisante de glace, par plaques, est redoutable et ils ne s'y engagèrent pas sans quelques frissons.

Ils louèrent une antique demeure au toit en accent circonflexe, aux murs recouverts de tôle gaufrée, flanquée d'une longue galerie. Mais la maison n'avait pas été habitée depuis longtemps et n'offrait aucun luxe. Surtout en hiver. Une seule pièce assurait un certain confort: la cuisine, à condition de ne pas trop s'éloigner du poêle à bois et de la petite fournaise à huile, car les murs, mal isolés, laissaient pénétrer le froid, et le vent trouvait partout des interstices pour s'infiltrer. René assujettit du mieux qu'il put les contre-fenêtres, inséra de la laine minérale dans les fentes, recouvrit de polythène deux murs extérieurs, mais la chaleur continua de fuir. Le plancher demeurait si froid qu'ils durent porter en permanence des bottines de feutre. Ils convertirent la pièce adjacente à la cuisine en chambre à coucher et condamnèrent le reste de la maison, disant qu'ils y reléguaient les spectres et les fantômes. Surtout après la première nuit qu'ils passèrent en ce lieu, incapables de s'endormir à cause des hurlements du vent et d'une étrange façon qu'il avait de glisser sur le toit, parfois en ayant l'air de tenter de le soulever, parfois à la manière d'une bête qui s'y serait laissée tomber toutes griffes sorties.

Ce changement fut si bénéfique à René qu'il cessa presque complètement de boire et se remit à peindre: les maisons du village, les nuages, les fantaisies décoratives de la neige, la mer qu'il allait observer sur le musoir du quai. Dans ses périodes de créativité, il travaillait toujours de la même façon, dans l'enthousiasme, envahi par l'inspiration, ne fournissant pas à la tâche, laissant une toile terminée pour en commencer tout de suite une autre. Il aimait ses tableaux, se disait satisfait du résultat, son activité d'artiste lui servait d'alcool: ivre de couleurs, de lignes, de volumes. Il aimait le réel dans la mesure où il possédait le pouvoir de le transformer, de jouer avec lui à la manière d'un dieu, il aimait le réel malléable, modelable. Il le pliait à sa fantaisie, le badigeonnait de teintes lumineuses, promenait son pinceau sur les choses comme une sorte de balai magique capable de chasser la poussière du quotidien et la crasse de l'ennui. Il ne pouvait être heureux que dans un monde réinventé.

Mais cette entreprise démiurgique ne tardait pas à l'épuiser et ces phases d'exaltation duraient peu de temps. Fatalement, il finissait par avoir l'impression de s'être vidé et il sombrait dans la neurasthénie. Se mettait à critiquer sévèrement ses tableaux, à vouloir les reprendre, les détruire. Diane avait beau l'encourager, affirmer que ses œuvres étaient des réussites, il se mettait à se lamenter, répétant qu'il n'avait pas de talent, que personne ne l'aimait, qu'il n'avait fait qu'accumuler un tas de croûtes. «Une nullité! Une nullité! Je suis une nullité! Quelle absurdité qu'un homme de mon âge perde sa vie à barbouiller des morceaux de toile alors que les autres ont des métiers, qu'ils se rendent utiles. Un attardé, un enfant qui s'amuse avec ses crayons de couleur, qui n'est jamais entré dans l'âge adulte et responsable. Je n'ai rien fait de bon, j'ai raté ma vie.» Et René recommençait à boire. Il doutait si fort de son talent qu'il passait des semaines sans oser reprendre ses pinceaux.

Janvier et février furent désastreux. René ne peignait presque plus et se maintenait souvent ivre. «Je hais l'hiver! À cette époque de l'année, on dirait que mes yeux se brisent comme des carreaux sous la pression du froid, et le paysage boréal, s'infiltrant par ces ouvertures, s'installe dans mon corps. Mes nerfs se tendent, luisants et durs tels des fils électriques recouverts de verglas. Dans mes veines, le sang se fige comme l'eau des rivières. Mes poumons, où mon souffle siffle en poudrerie, ont l'allure de forêts blanchies sous le frimas. Tout mon être s'affaisse, pareil au toit d'une maison qui ploie sous le poids de la neige. Et mon cœur s'arrête presque de battre, piégé, terrifié, petit animal tendre étouffant sous les serres de l'hiver qui referme sur lui ses griffes de glaçons.»

Confinés dans deux pièces, Diane et René finirent par se sentir trop à l'étroit. Tant qu'ils purent aller marcher à l'extérieur, cela se supporta, mais lorsqu'il fit un froid sibérien, les promenades se raréfièrent.

Habituée aux humeurs singulières de son mari, Diane sut qu'il était temps pour elle de se faire presque invisible. Elle s'évada, des journées entières, cherchant refuge chez un couple d'amis de La Malbaie. Dès qu'elle était partie, René se remettait à créer comme par enchantement. Des chimères, parfois séduisantes, parfois terribles, profitaient de l'absence de sa compagne pour le visiter. Et René, faisant le portrait de ces créatures étranges, recommençait à peindre. Lorsque Diane revenait, le soir, René avait parfois terminé une toile et elle le retrouvait plus heureux.

Il la voulait absente et présente à la fois. Elle n'était pas sitôt partie que, parfois, incapable de supporter la solitude, il lui téléphonait à La Malbaie pour la supplier de revenir.

Quelle aventure difficile que l'art! Je dois chasser la femme que j'aime pour créer. Et qu'est-ce que cela me donne? Des tableaux, des morceaux de toiles recouverts de peinture. Est-ce qu'on vit avec des morceaux de toiles? Est-ce que des morceaux de toiles donnent de l'affection, de la tendresse? Non, ce sont des objets morts parmi lesquels je meurs de solitude. Est-ce que cela vaut vraiment le coup de tout sacrifier ainsi, de sacrifier l'amour à l'art, la femme réelle aux créatures de mon imagination? Est-ce que cela vaut vraiment le coup? Est-il préférable de s'entourer d'amour et de cesser de créer ou de repousser l'amour et de se retrouver seul au milieu d'un monceau de tableaux?

Un soir, Diane ne put revenir de La Malbaie à cause d'une tempête qui s'était abattue avec une rapidité et une violence exceptionnelles. René, que terrifiaient les poudreries, resta seul dans la vétuste demeure et comme il avait beaucoup bu, il lui sembla voir danser par la fenêtre de hautes femmes, aux corps de serpents, qui agitaient avec véhémence leurs longs cheveux blancs. Il entendit grincer sur la toiture les pieds griffus des fées de la poudrerie lancées à sa poursuite, mains luisantes de rasoirs de glace. L'une d'entre elles s'ouvrit le ventre contre la pointe du paratonnerre, poussa des cris abominables et son sang blanc retomba en flocons autour de la maison. D'autres, aux dents tranchantes, s'acharnèrent contre les murs, croquant les clous des poutres qui cassaient dans un bruit sec. La porte soudain vola en éclats et les fées du gel, se ruant dans la cuisine, se jetèrent sur René, lui enfoncèrent leurs crocs dans le cou. Lorsqu'il revint à lui, elles avaient fui vers les nuages, emportées en tourbillons, et René constata qu'il coulait de sa plaie un étrange sang blanc comme du lait.

Ne sachant comment lutter contre cette hallucination, il prit une toile, ses pinceaux et y appliqua à grands coups des taches de peinture blanche, épaisses, terminées en pointes qui étaient comme autant de coups de griffes de l'hiver.

Le lendemain, en fin d'après-midi, lorsque Diane revint de La Malbaie, elle aperçut, assise devant le chevalet, une femme aux cheveux blancs, vêtue d'une longue robe de neige. Elle était en train de peindre et si absorbée par son travail qu'elle n'entendit pas Diane s'approcher. Mais lorsque Diane, intriguée par l'absence de son mari, jeta un regard sur la toile, elle poussa un cri d'effroi. La femme vêtue de neige venait de peindre le portrait de

René représenté debout, les jambes collées l'une contre l'autre, les bras le long du corps, droit comme une barre de fer. Et René, qui s'était laissé capturer par le pinceau de cette femme, y apparaissait avec des cheveux blancs, une figure blanche, le corps tout habillé de blanc. Perdant la tête, Diane s'empara du tisonnier et menaça de frapper la femme qui s'enfuit par la porte laissée entrouverte. Aussitôt qu'elle eut mis le pied dehors, elle se dispersa en flocons et fut emportée par le vent. Diane revint vers le chevalet, appela René et soudain elle comprit qu'il ne restait plus de son mari que ce petit personnage blanc debout sur la toile. Elle l'observa de plus près, constata que sa figure avait la texture de la glace et que ses vêtements étaient faits de verglas. Alors elle se mit à pleurer, incapable de lutter contre le sortilège qui avait transformé René en personnage peint.

Soudain, devenant comme folle, elle alla chercher du papier qu'elle entassa autour du chevalet et, pour tenter d'arracher René à ce monde figé du froid, elle mit le feu dans ce monceau de vieux journaux. Échappant à son contrôle, la flamme envahit bientôt la cuisine, dévora les murs et le plafond et Diane échappa de justesse au brasier en se précipitant à l'extérieur.

Malgré l'aide des voisins accourus sur les lieux du sinistre, la maison fut la proie de l'incendie. Lorsque tout fut éteint, Diane fouilla dans les débris calcinés. Elle y retrouva le tableau, laissé intact par le feu, pareil à un bloc de glace que rien ne pourrait faire fondre. Il gisait là, parmi les planches brûlées, inaltéré, et René s'y tenait toujours debout, comme figé pour l'éternité dans ses vêtements de verglas.

La noirceur venait. Diane, secouée de tremblements nerveux, fut hébergée par des voisins. Au cours de la nuit, une violente tempête s'abattit sur le petit village. Et le lendemain, lorsque Diane voulut récupérer le tableau qu'elle avait laissé parmi les ruines, elle n'en trouva plus la moindre trace.

LE DIMANCHE

Le dimanche est le jour de l'ennui et cela depuis le tout début du monde. Dieu lui-même en fut la première victime. Il avait inventé le dimanche, au septième jour, afin de se reposer, mais il s'y ennuya tellement que ses facultés s'atténuèrent et qu'il ne fut plus jamais capable par la suite de rien créer de nouveau.

Réjean Deneault détestait le dimanche. Surtout lorsqu'il pleuvait. Surtout pendant les mois d'automne. Aussi, en ce dimanche matin de novembre, écoutant ruisseler les gouttes d'eau froide à sa fenêtre, n'avait-il pas le goût de se lever.

Il traversait en outre une période pauvre en inspiration. Depuis trois semaines, il s'assoyait à sa table de travail sans parvenir à trouver aucun sujet de roman ou de nouvelle. Rien. Écrivain, l'était-il vraiment d'ailleurs? À trente-cinq ans, il n'avait publié qu'un livre. Qui s'était peu vendu. Pauvre, habitant un appartement minable de la rue Bonaventure, à Trois-Rivières, sa situation n'était pas brillante. Son père avait raison qui lui avait tant rebattu les oreilles, autrefois: «Ne passe pas ton temps à rêvasser. Fais du sport. Tu ne t'occupes pas assez de ton corps. Ça finira par te jouer un mauvais tour. Tu ne feras rien de bon dans la vie!» Effectivement, Réjean Deneault souffrait d'un manque d'énergie. Casanier, il se promettait, pour compenser, d'écrire un roman débordant d'aventures, dans lequel un héros dynamique serait emporté dans des tas de péripéties, bref l'histoire d'un homme qui dévorerait la vie à belles dents. Mais l'inspiration ne venait pas. Au moins si, en ce dimanche sinistre de novembre, il avait pu espérer s'asseoir à sa table de travail et chasser l'ennui en noircissant des pages et des pages. Mais non. Encore une journée mortelle en perspective.

Réjean tarda donc à se lever. Et lorsqu'enfin il se décida, il constata, ahuri, qu'il n'avait plus de corps. Sa tête seule reposait au milieu de l'oreiller. Comme un œuf dans un nid.

Il s'énerva, voulut bouger. Sa tête se mit à rouler sur l'édredon pour s'arrêter, en position précaire, au pied du lit. Allait-elle s'envoler? Réjean se rappela l'allure des angelots illustrant son missel de jadis: une tête, deux ailes. En son adolescence, il s'ennuyait tellement à la messe qu'il rêvait parfois de devenir l'un d'entre eux, afin de fuir les bancs de l'église avec la légèreté d'un papillon. Il prit donc son élan, tenta de s'élever dans l'espace, mais sa tête tomba pitoyablement sur le plancher au prélart usé. Son gros chat, éveillé par le bruit, se mit à jouer avec la tête, la poussant jusque dans le corridor donnant sur l'entrée de l'appartement.

On sonnait à la porte. Abasourdi, Réjean dressa l'oreille. Un garçon d'une douzaine d'années attendait qu'on vînt ouvrir. Finalement, il s'enhardit, tâta la poignée, vit que la porte n'était pas verrouillée – Réjean ne la fermait jamais à clé, comme s'il attendait toujours la venue de quelqu'un – et pénétra dans l'appartement. Il passait d'une maison à l'autre, vendant des tablettes de chocolat en vue d'amasser des fonds pour les cadets de l'air; lorsqu'il aperçut la tête sur le plancher, il voulut fuir, mais la peur le retint figé sur place.

Soudain, la tête de Réjean fut prise d'une grande faim. Impossible à apaiser. Il n'avait rien mangé depuis la veille, mais cela n'expliquait pas une telle fringale. Comment, sans corps, pouvait-on avoir tant d'appétit?

Chose curieuse, ce ne fut pas le chocolat qui l'attira, mais l'enfant tout entier. Et en moins de deux, il le dévora.

Dès qu'il l'eut mangé, il cessa d'être une tête et devint l'enfant. Il sortit, monta sur la bicyclette du jeune garçon; malgré la pluie intermittente, il voulut se distraire en filant par les rues de la ville. Mais il se souvint qu'à cet âge, il s'était terriblement ennuyé en parcourant à vélo les rues de Trois-Rivières. Il se rendit au parc Pie-XII, fit plusieurs fois le tour de l'étang vide, ressortit du parc, s'arrêta, s'adossa à la clôture. Il était temps car sa tête, cessant d'être celle d'un enfant, reprenait les dimensions d'une tête d'homme. Lorsqu'elle fut trop lourde, elle s'inclina, se détacha du cou, roula sur le trottoir, et le corps du jeune homme disparut. Ainsi, en ce curieux dimanche, Réjean devenait ce qu'il mangeait, mais il ne pouvait conserver aucune forme. Oui, mais pour l'instant sa tête gisait là, à proximité de la chaussée, se faisant copieusement arroser chaque fois qu'une auto passait près d'elle.

Une Plymouth Sundance rouge s'arrêta. Une jolie femme d'environ vingt-cinq ans en descendit. Elle venait d'apercevoir la tête, la souleva dans ses mains, remonta dans sa voiture, intriguée. Elle n'eut pas le temps de s'étonner bien longtemps car Réjean, repris par sa fringale, ouvrit la bouche et dévora la femme. Aussitôt, il devint une femme tenant le volant d'une Sundance rouge. «C'est peut-être ça, dévorer la vie à belles dents», se dit Réjean. Mais pour le moment il habitait le corps d'une femme qui se mourait d'ennui. Elle roulait sans but, seule, en ce dimanche après-midi, faisant des dizaines de kilomètres sur l'autoroute puis revenant en ville. Réjean n'aurait pas cru qu'on pouvait tant s'ennuyer tout en étant belle et jeune. Soudain, la femme reprit l'autoroute et fila en direction de Shawinigan. Trente minutes plus tard, elle frappait à la porte d'une voyante dont on lui avait parlé. Elle ne trouvait rien de mieux pour se distraire que d'aller la consulter. «En 1793, lui assura la devineresse, vous étiez un homme, un poète, emprisonné à Paris, pendant la Révolution. Vous étiez l'auteur d'une œuvre considérable qui fut détruite après qu'on vous eut guillotiné. Et méfiez-vous, termina-t-elle, car les personnes guillotinées au cours d'une de leurs vies antérieures ont tendance à perdre la tête dans leurs existences postérieures.» La jeune femme reprit la route, abasourdie par cette révélation. Elle avait toujours rêvé de devenir écrivaine et voici qu'elle pouvait se réjouir de l'avoir été deux cents ans plus tôt. Impressionnée, elle s'arrêta sur l'accotement de l'autoroute. Elle se regarda dans le miroir de l'auto et poussa un petit cri en apercevant sur ses épaules un visage masculin. Elle avait déjà été un homme en 1793, d'accord, mais elle n'avait pas du tout l'intention d'en devenir un maintenant. Elle s'affola, sortit de la voiture. C'est que la tête de Réjean reprenait sa forme, ses traits normaux; bientôt la jeune femme eut une tête de mâle sur le cou, puis la tête se détacha, roula sur le sol, et le corps de la jeune femme disparut. Une fois de plus, Réjean se retrouvait réduit à sa seule tête. Et il gisait là, sous la pluie, sur le bord de l'autoroute, à des kilomètres de la ville.

Une voiture, heureusement, s'arrêta. Un homme, hagard, en sortit. Il considéra la tête, se frotta les yeux, se décida à la soulever dans ses mains. Il tremblait car, poussé par l'ennui, il avait décidé d'aller se jeter du haut du pont Laviolette. Il s'y dirigeait justement, bien décidé à ne pas changer d'idée, mais il n'avait pu s'empêcher de stopper, intrigué par cette tête abandonnée par terre. Il voulut la redéposer sur le sol, mais Réjean, repris par sa faim, ne fit qu'une bouchée de l'homme. Il le mangea tout entier avec ses vêtements et aussitôt il fut cet individu. Et comme il n'était pas en son pouvoir de changer son projet, il se retrouva au volant d'une auto, fonçant à toute allure vers le pont Laviolette. Une fois au centre du pont, il stoppa, alluma les clignotants, enjamba le garde-fou et s'élança dans le vide.

Au cours de la descente, il perdit connaissance et ne s'éveilla qu'après avoir heurté violemment la surface du fleuve. Il n'était pas mort. Et il s'ennuyait encore. Il flottait béatement, sa tête et ses deux bras restant hors des flots. Quant à son corps, se remplissant d'eau, il se dilata, prenant la forme d'une énorme poche s'étendant sur une douzaine de mètres de hauteur depuis la surface jusqu'au fond. Réjean aperçut soudain une chaloupe vide emportée par le courant. Il la saisit d'une main et vit, à l'intérieur, sur un banc, une canne à pêche. Malgré le froid, malgré la pluie, malgré son inconfortable situation, il décida, pour chasser l'ennui, de pêcher un peu. Et pour lutter contre la routine, il se dit: «Tiens, je vais pêcher en moi-même, dans mes eaux intérieures.» Il ouvrit grande sa bouche, y laissa descendre la ligne qui se déroula jusqu'aux profondeurs de son énorme corps rempli d'eau. Un beau poisson, ressemblant à un doré, mordit à l'hameçon; Réjean le remonta et le déposa dans l'embarcation. Il était temps car son corps venait de se détacher de son cou. De nouveau il se retrouvait réduit à sa seule tête flottant cette fois parmi les vagues froides du fleuve. Soudain, il vit venir, emporté par le courant, le corps d'un homme noyé. À sa grande surprise, il constata que ce corps était le sien, celui qu'il cherchait depuis le matin. Heureusement, il n'était pas trop abîmé par son séjour dans l'eau, et la tête de Réjean, rapprochée du corps par les vagues, se souda au cou. Content de se retrouver au complet, Réjean prit place dans la chaloupe, saisit les rames et se dirigea vers les quais de Trois-Rivières. Il accosta et s'empressa de rentrer chez lui pour se réchauffer et enfiler des vêtements secs.

Une fois remis de ses émotions, Réjean coucha le poisson sur le comptoir de la cuisine et entreprit de le préparer pour son souper. Il était seize heures. La noirceur venait. Il avait tout son temps, ouvrit lentement le ventre du poisson. Et le trouva rempli de mots. Après un moment d'étonnement, il les sortit par poignées et plus il en sortait, plus il en venait. Il les disposa au hasard sur plusieurs feuilles blanches pour mieux les distinguer et soudain ils se mirent d'eux-mêmes à s'assembler de façon à composer des phrases.

Réjean emporta tous les mots sur sa table de travail et voici que l'inspiration, enfin, revint le visiter. Il plaçait sur une feuille quelques mots autour desquels d'autres mots se regroupaient. Et bientôt une histoire prit forme. Réjean ne se contenait plus de joie. L'histoire se passait en 1793. À Paris. Un poète était emprisonné pour une période indéterminée. Pour des raisons politiques. Réjean lui donna le nom de Réjean de la Deneaudière. Sa cellule semblait plutôt confortable malgré la présence de barreaux aux fenêtres. On permettait au poète de se faire à manger et d'écrire, mais on lui interdisait de publier. On l'autorisait aussi à recevoir des visites. C'était un dimanche après-midi pluvieux et le poète, confiné entre ses quatre murs, se mourait d'ennui. Soudain, le gardien introduisit une jeune femme brune, très jolie. Le poète ne la connaissait pas. Elle lui dit: «J'ai lu vos poèmes, j'ai beaucoup d'admiration pour vous et je vous ai apporté un poisson.» Elle repartit presque aussitôt, laissant le poète étonné par ce cadeau. Lorsqu'il ouvrit le poisson, toutefois, il découvrit dans ses entrailles une lime. Sans perdre de temps, il s'attaqua aux barreaux et s'évada. Comment allait-il retrouver sa bienfaitrice? se demandait-il, courant dans les rues de Paris. Puis il se souvint avoir remarqué sur le papier d'emballage du poisson un dessin tracé à la plume. Le dessin représentait une flûte et une harpe. Quelle énigme! Mais comme il courait maintenant dans la rue de La Harpe, non loin de la Seine, il se dit qu'il possédait peut-être là un des éléments du mystère. Il s'arrêta. Quelqu'un jouait de la flûte, au troisième étage d'une maison. La musique sortait par une fenêtre ouverte. Le poète monta les escaliers, frappa à la porte de la chambre d'où provenaient ces sons harmonieux. Une jeune femme brune vint ouvrir. C'était sa visiteuse de la prison. Il l'étreignit, la remerciant de tout cœur. La jeune femme jouait de la flûte pour chasser l'ennui qui l'envahissait. «Je suis très heureuse que vous m'ayez trouvée», avoua-t-elle. Ils s'embrassèrent, roulèrent sur le lit et ils allaient s'unir lorsque Réjean s'arrêta, de nouveau à cours d'inspiration. D'ailleurs, il ne restait plus un mot dans le ventre de son poisson.

Furieux, il se mit à arpenter sa pièce de travail, se tenant la tête à deux mains de peur qu'elle ne se détache encore de son cou et roule sur le plancher. «Quel dommage, se plaignit-il, d'être ainsi interrompu au meilleur moment de mon histoire! Surtout que cette jeune femme, bien que fictive, ressemblait à celle que j'attends depuis toujours et qui pourrait à jamais chasser mon ennui.»

Il fut tiré de cette situation par un petit bruit provenant de la porte de son appartement. Il faisait noir maintenant. Il crut à un voleur essayant de s'introduire. Il s'approcha subrepticement, fit de la lumière, ouvrit la porte et se saisit de l'intrus. Il tenait une jeune femme terrifiée dans ses bras. Confus, ils restaient là, bouche bée, en face l'un de l'autre. C'était une jeune femme aux longs cheveux bruns. Toute délicate, vêtue d'un chandail blanc, d'un blouson brun et d'un pantalon bouffant, serré aux chevilles, qui lui donnait l'allure d'une princesse des mille et une nuits. Elle s'excusa, bafouillant. Passionnée de littérature, elle avait lu le livre de Réjean, l'avait beaucoup aimé. Elle tentait elle-même d'écrire, oh! très maladroitement sans doute, et puis, en ce dimanche après-midi où elle s'ennuyait pour mourir, il lui était passé par l'esprit l'idée absolument saugrenue de venir glisser quelques pages sous la porte de l'écrivain. Il s'agissait d'un conte fraîchement écrit et la jeune femme, tremblant de peur, poussait l'audace jusqu'à venir lui demander ses commentaires. Elle ne voulait pas le rencontrer, trop intimidée, mais maintenant c'était fait et elle ne savait plus sur quel pied danser. Réjean, ému par sa sincérité et impressionné par sa beauté, l'invita à entrer. Elle avait vingt-quatre ans. Elle s'appelait Mireille. Elle alla s'asseoir dans un coin peu éclairé du salon, profondément mal à l'aise car Réjean avait entrepris de lire tout de suite son conte. «Vous savez, c'est très mal écrit, risqua-t-elle, et le sujet va sans doute vous paraître un peu fou mais...» Il ne l'écoutait pas, concentré sur sa lecture.

Le conte de Mireille relatait l'histoire d'un homme qui, ne pouvant plus supporter l'ennui, se jetait dans le fleuve, du haut du pont Laviolette. Au moment où il touchait la surface de l'eau, il se changeait en poisson. C'était l'été. Un dimanche après-midi. Une jeune femme – qui ressemblait en tous points à Mireille –, assise sur la grève, jouait de la flûte. Elle avait vu l'homme sauter. Et, soudain, la musique de sa flûte devenait un long fil lumineux qui s'étirait dans l'espace puis s'enfonçait sous les flots, et l'homme changé en poisson venait s'y accrocher comme s'il avait mordu à un hameçon. L'héroïne tirait le fil vers elle, ramenait le poisson sur la berge et lui ouvrait le ventre avec un couteau. Le ventre contenait cinq grosses arêtes en forme de lettres qui composaient le mot ENNUI. La jeune personne les retirait, les jetait sur le sable, refermait le ventre et le poisson devenait un poisson de lumière. Contente, elle le remettait à l'eau. Le poisson, nageant près de la surface, s'éloignait vers le large puis vers l'horizon. Il laissait à la surface un beau sillage jaune et d'un coup, sortant du fleuve, il s'élevait dans le ciel, montait, montait, montait jusqu'au soleil et se confondait avec l'astre.

L'histoire s'arrêtait là. Réjean était emballé. Il prit Mireille dans ses bras, l'embrassa sur les deux joues, lui fit part de son enthousiasme, l'encouragea à continuer d'écrire. Son récit était étrange, bien sûr, mais il l'aimait tel quel.

Mireille, soulevée par la joie, ne savait plus comment le remercier. Réjean lui demanda si elle jouait de la flûte. «Bien sûr, s'exclama-t-elle, et je l'emporte toujours avec moi. Elle est dans mon auto.» «Allez la chercher, dit Réjean, et jouez-moi quelque chose, c'est la meilleure façon de me remercier.» Mireille bondit dans l'escalier, courut jusqu'à l'auto. Réjean l'observa par la fenêtre. L'auto était une Plymouth Sundance rouge.

Mireille joua ses plus belles mélodies. Réjean l'écoutait, ravi. Lorsqu'elle fut sur le point de partir, il la pressa sur son cœur et elle s'abandonna entre ses bras. Subitement épris l'un de l'autre, ils restaient là, bouleversés, près de la porte, incapables de desserrer leur étreinte. Ils se retrouvèrent sur le lit de Réjean, enlacés, nus, murmurant de tendresse et de joie. Puis ils s'unirent avec intensité et lorsque Mireille laissa retomber sa tête sur l'oreiller, elle poussa un petit cri. Un objet dur gisait sous l'oreiller. Elle regarda et toute la pièce s'illumina. C'était le soleil qui gisait coincé là depuis le matin, incapable de se dégager et de se lever. Il avait passé toute la journée sous cet oreiller, essayant de le soulever sans y parvenir. Maintenant, il était près de minuit et l'astre étirait ses rayons dans la chambre avec l'intention évidente de sortir. Réjean, discret de nature, hésitait à le lâcher en liberté. «Que vont dire les voisins et tous les habitants de la ville si le soleil sort en pleine nuit de mon appartement? Cela va déranger toute la population! C'est trop tard, maintenant, soleil, pour te lever, attends demain matin.» «Et puis après? répondit Mireille, laisse-lui donc sa liberté. Il est si beau, si chaud, si joyeux. Il ressemble à notre amour. Et puis tant mieux si le monde, pour une fois, est dérangé par l'amour plutôt que par une guerre ou un cataclysme. Mieux vaut une explosion de lumière qu'une explosion nucléaire!»

Soudain, Réjean fut repris par sa fringale et d'un coup il dévora le soleil. Aussitôt, il devint le soleil, mais un soleil avec une tête, deux bras, deux jambes: un homme-soleil. Il s'élança vers le ciel mais se heurta au plafond. Il l'aurait aisément traversé, mais le plafond était constitué de barreaux gros comme des poutres. «Attends, dit Mireille, ce n'est rien, ce sont les barreaux du réel.» Elle fouilla dans les poches de son blouson, en sortit une lime, la tendit à Réjean qui eut tôt fait de les scier.

Il prit Mireille par la taille et tous deux s'élevèrent dans le ciel nocturne. Mireille jouait de la flûte. Les gens de Trois-Rivières, tirés de leur sommeil par cette étrange aurore en plein milieu de la nuit, sortirent en pyjama sur leurs balcons et dans les rues. Il ne pleuvait plus. C'était un jour radieux. Les gens regardaient le soleil monter dans l'azur. Ils ne pouvaient distinguer Mireille et Réjean fondus par la distance en un seul astre de feu. Mais ils entendaient la flûte de la jeune femme et se disaient entre eux: «Quelle histoire! Non seulement le soleil se lève en pleine nuit, mais en plus le voici qui joue de la flûte!»

Un homme, poussé par l'ennui, venait de sauter du haut du pont. Il entendit les sons émanant du ciel. La mélodie se changea en un long fil lumineux qui vint le frôler. Il s'y accrocha à pleines mains, freinant ainsi sa chute puis, de toute la force de ses poignets, il remonta lentement jusqu'au tablier du pont où il reprit pied, ayant retrouvé le goût de vivre. Il s'accouda au garde-fou, regarda le soleil et écouta, ravi, la musique de la lumière.

NOSTALGIE

— Vingt-deux ans, soupira Juliette, vingt-deux ans!

Oui, c'était aujourd'hui, en ce dix-huit juin, le vingt-deuxième anniversaire de son mariage avec Raoul Dubé. Mais elle le fêtait seule puisqu'elle était divorcée depuis plus de dix ans. Et pour comble, il pleuvait à plein ciel depuis trois jours.

Elle aurait dû retourner en ville, mais elle se sentait lasse de la ville, de son appartement où elle venait de vivre en solitaire pendant tout l'hiver.

Elle avait donc cherché refuge, comme à l'habitude, dans sa vieille maison de campagne, non loin du lac Caché, pour essayer d'y oublier ses soucis en faisant un peu de jardinage. Mais il s'é- tait mis à pleuvoir de façon déraisonnable, puis son téléviseur ancien avait cessé de fonctionner et maintenant, depuis plus de cinq heures, il y avait panne d'électricité.

Alors, ne sachant plus comment lutter contre l'ennui, elle s'était installée dehors, sur la galerie couverte, à l'abri de la pluie, pour y décaper un vieux banc. Cela l'occuperait un bon moment, tant qu'il ferait assez clair pour travailler, en attendant le retour de l'électricité. Armée d'un grattoir, elle s'activait donc à nettoyer ce vieux banc des quatre couches de peinture qui en recouvraient la surface.

Mais son esprit s'obstinait à ne penser qu'à Raoul, son mari, à son mariage, à son divorce. Elle était restée comme morte pendant les trois années qui avaient suivi cette catastrophe. Ne sortant presque jamais de son appartement, pleurant des nuits entières, ne voyant plus personne. Vidée de toute énergie. Par la suite, elle avait vécu, par périodes, avec quelques compagnons, mais ces tentatives de reformer un couple ne duraient jamais longtemps. Justement, au milieu de l'automne, elle avait rompu avec son dernier ami. Et l'hiver de solitude qu'elle venait de passer l'avait moralement épuisée.

Non, l'homme de sa vie, son grand amour, avait été et resterait toujours Raoul Dubé, épousé à vingt ans, alors qu'elle était belle et jeune. Et Raoul lui manquait aujourd'hui, le Raoul d'autrefois lui manquait à tel point qu'elle aurait crié.

Quand on pense très fort à quelqu'un, quand on évoque intensément sa présence par le souvenir, on a l'impression parfois qu'il revit, tel un fantôme, à nos côtés. On sent son haleine sur notre peau, son rire retentit dans la pièce, on peut presque le toucher. Juliette sentait Raoul tout près d'elle, mais recouvert par plusieurs couches de temps comme le vieux banc par plusieurs couches de peinture. Et il lui vint l'idée saugrenue de gratter l'air à côté d'elle. Elle s'y essaya et ne fut pas peu surprise de constater qu'en tâtant l'air, elle rencontrait, à certains endroits, un peu plus de résistance qu'à d'autres. À sa gauche, particulièrement, du côté du cœur, une large zone, pourtant transparente, offrait assez de dureté pour être grattée. C'est que le temps est un étrange vernis recouvrant nos souvenirs de plusieurs couches d'un enduit qui semble translucide. On a l'impression que tout est lisse, que tout se confond avec l'air, mais nos souvenirs reposent encore là, sous cet enduit, pareils à des momies dans leurs sarcophages. Il suffit de tâter l'air pour sentir les zones de résistance sous lesquelles ils sont cachés.

Juliette s'attaqua donc à l'air avec son grattoir. Elle en badigeonnait la surface avec un produit liquide pour décaper et grattait, soulevant par galettes les couches de vernis du temps. Et elle parvint à dégager un bras, un torse, un menton, puis toute la tête et tout le corps de Raoul. Elle s'arrêtait parfois, s'épongeait le front, reprenait son souffle et grattait de nouveau, ressemblant à ces archéologues qui travaillent minutieusement à extraire des strates du passé quelque statue.

Finalement, Raoul fut là devant elle, debout, âgé de trente ans. Elle aurait pu gratter davantage pour le décaper jusqu'à l'âge de vingt ans, mais elle s'arrêta là, contente de le retrouver tel qu'il apparaissait peu avant leur divorce, dans la force de sa jeunesse, avec sa moustache et son petit sourire de séducteur. Ah! elle n'avait vraiment aimé que lui! Et comme elle s'ennuyait de son corps, elle gratta ses vêtements et le retrouva dans toute la beauté de sa nudité. Il n'était pas complètement vivant toutefois. On aurait dit une sorte de statue habitée par une âme. Par un cœur aussi car elle l'entendait battre en appuyant son oreille sur sa poitrine. Au bout de quelque temps, sa chair devint de la vraie chair. Ses yeux brillaient. Mais il ne parlait pas et ne paraissait pas pouvoir bouger. Il respirait, vivait, mais restait là, immobile.

Juliette le souleva avec difficulté et finit par le transporter à l'intérieur. Elle l'installa au milieu du salon, debout comme un Apollon, elle s'assit devant lui et le contempla. Elle aurait bien voulu pouvoir gratter sa propre peau, la dépouiller de l'enduit du temps et se retrouver elle aussi à l'âge de trente ans. Elle s'y essaya, mais comprit vite qu'on ne peut décaper que les souvenirs.

L'électricité revint et Juliette passa la soirée à admirer son œuvre. Puis elle allongea son ex-mari dans son lit et se coucha à côté de lui. Elle en éprouva d'abord une grande joie, mais comme il ne bougeait pas, ne parlait pas et qu'elle n'en pouvait retirer aucun plaisir autre que celui de se coller contre lui, elle eut l'impression de dormir avec un paralytique. Aussi, au bout de trois nuits, elle préféra coucher seule et laisser Raoul là, debout, au milieu du salon où, toute la journée, elle pouvait le regarder comme une œuvre d'art.

Une quinzaine de jours plus tard, en pleine nuit, elle fut réveillée par de légers bruits. On aurait dit des pas, des chuchotements, des rires retenus. Inquiète, elle s'arma d'un projecteur et marcha sur la pointe des pieds jusqu'au salon. Tremblant à l'idée d'affronter des cambrioleurs, elle n'en dirigea pas moins son faisceau lumineux vers l'endroit d'où provenaient les murmures. Et quelle ne fut pas sa stupéfaction de surprendre Raoul en train de faire l'amour sur le divan avec une jeune femme. Elle la reconnut rapidement d'ailleurs, c'était la fille d'un de ses voisins, une petite brune d'à peine vingt ans.

La petite brune sursauta, enfila sa robe, regarda Juliette d'un air frondeur en demandant à Raoul: «C'est ta femme, ça?» Mais Juliette, soulevée de colère, la prit par les épaules et la jeta dehors. Puis elle revint vers Raoul sur qui elle passa sa furie. Ah! c'était bien le même qu'autrefois! Et dire qu'elle avait oublié toutes les souffrances qu'il lui avait causées. Et dire qu'elle était assez sotte pour s'ennuyer de lui jusqu'à le ressusciter. C'était bien le même qu'autrefois. À peu près nul au lit avec elle, ne lui parlant que rarement, mais faisant le joli cœur à gauche et à droite et sautant comme un coq sur toutes les jeunes femmes qu'il arrivait à séduire. Et dire qu'elle s'était ennuyée de lui jusqu'à en avoir mal au ventre! Et dire qu'il faisait semblant de ne pas pouvoir bouger, mais qu'il bondissait sur la jeune voisine dès qu'elle avait le dos tourné! Non, vraiment, trop c'était trop. Et elle le somma de quitter la maison sur-le-champ.

— Mais Juju, minaudait Raoul, voyons Juju, prends pas ça comme ça. Faut pas faire des drames avec des riens. Si on ne peut plus s'amuser un peu maintenant. Et puis tu n'es pas pour me mettre à la porte en pleine nuit, tout nu, après tout je suis ton mari et je te connais bien, tu as meilleur cœur que ça. Écoute Juju, apaise-toi, laisse-moi dormir ici pour ce soir et demain tout va s'arranger, tu vas voir, nous discuterons à tête reposée, d'accord?

Et Juliette, malgré sa colère, lui permit de passer la nuit sur le divan. Trop bonne, elle était toujours trop bonne. Une fois de plus, elle lui pardonnait presque cette frasque. Elle retourna dans sa chambre, détestant sa faiblesse.

Mais elle ne parvenait pas à dormir et une idée de vengeance naquit en son esprit. Elle attendit longtemps, se leva sans faire de bruit. Au salon, Raoul ronflait sur le divan. Juliette passa dans la cuisine, en revint avec un pinceau et un vieux contenant de peinture grise. Elle en souleva difficilement le couvercle, retira la pellicule qui en scellait la surface et, sans hésiter, elle en recouvrit à grands coups de pinceau le corps de son mari. Surpris, il voulut résister, mais la peinture collait si bien à lui qu'il ne réussit qu'à se mettre debout. Et Juliette le badigeonnait généreusement. Il cessa bientôt de bouger. Juliette laissa sécher la peinture en surveillant Raoul pour s'assurer qu'il ne se sauvait pas. Puis elle en appliqua encore plusieurs couches. Finalement, elle s'empara d'un tournevis et traça sur le corps de son mari des craquelures imitant celles qu'on voit sur les surfaces peintes depuis d'innombrables années. Raoul ressemblait maintenant à quelque vieille statue de bois qu'on aurait retrouvée dans un grenier. Satisfaite, Juliette le regarda avec mépris et le poussa dans un coin du salon.

Quelques jours plus tard, on frappa à la porte. C'était un bel homme, dans la quarantaine, grand, barbu, un brocanteur qui circulait dans les campagnes en quête d'objets antiques qu'il achetait au plus bas prix afin de les revendre à un intermédiaire de Montréal qui, lui, en tirait un gros profit.

Juliette le laissa entrer, contente d'avoir quelqu'un avec qui causer pendant quelques minutes. Dès que le brocanteur aperçut Raoul, il lui tourna le dos, faisant mine de ne pas l'avoir vu. Mais il voulait cette statue pour n'importe quel montant. Il s'agissait là d'une pièce rare qu'il était certain de revendre avec un considérable bénéfice. Aussi parla-t-il de chose et d'autre et, lorsqu'il fut sur le point de quitter la maison, il dit:

— Je m'excuse de vous avoir dérangée, d'autant plus que je n'ai rien trouvé chez vous qui puisse m'intéresser... en tant que brocanteur. Par contre, comme vous m'avez gentiment reçu, je peux vous rendre service en vous débarrassant de certaines vieilleries dont vous ne savez probablement pas quoi faire et qui, soit dit sans vouloir vous blesser, déparent votre maison. Je pense, par exemple, à cette vieille statue de bois, dans le coin de votre salon. Vous êtes jeune, vous êtes belle, pourquoi vivre en contact avec une pareille horreur? Tenez, je vous en donne dix dollars et je la jette dans mon camion; c'est vraiment pour vous rendre service car personne ne va vouloir m'acheter cette vieillerie.

— Vous êtes gentil de me dire que je suis jeune, l'interrompit Juliette. À quarante-deux ans, je ne refuserai certainement pas le compliment.

— Mais la vie commence à quarante ans, ma petite madame, la vie commence à quarante ans! À votre âge – il lui fit un clin d'œil –, ou vous vous laissez glisser lentement vers la vieillesse ou vous réagissez et vous entamez une nouvelle jeunesse. À votre âge, c'est bon pour le moral de s'entourer de moderne, de tourner la page sur le passé. Défaites-vous de cette statue, ça vous vieillit!

Juliette n'était pas dupe de son jeu. Aussi prétendit-elle qu'il s'agissait d'un souvenir de famille, sans valeur de revente peut-être, mais auquel elle se disait très attachée sentimentalement. Elle marchanda, elle fit monter les prix et finit par la céder pour soixante-dix dollars.

— J'ai quarante-cinq ans, dit l'homme en rigolant, vous n'en paraissez guère plus de vingt-cinq, additionnons nos deux âges et entendons-nous pour soixante-dix dollars.

Ils riaient tous les deux de bon cœur, satisfaits l'un et l'autre du marché. Mais l'homme ne désirait pas que la statue. Il cherchait un prétexte pour revenir et mieux faire connaissance avec Juliette. Lorsqu'il vint pour payer, il fit semblant de manquer d'argent:

— Je vais passer à la banque du village; je reviendrai ce soir, promit-il, et je vous paierai comptant.

— D'accord, dit Juliette, je vous garde la statue jusqu'à ce soir. Et vous prendrez quelques minutes pour boire un café. Et tant qu'à faire, vous mangerez bien aussi un morceau de gâteau.

L'OPTOMÉTRISTE

Louis Robert roulait distraitement sur le pont Laviolette, par une journée grise de décembre. Il retournait à Nicolet, à son étude de notaire, après être allé s'acheter quelques livres à Trois-Rivières. Des romans. Pour se distraire de son ennui. Depuis qu'il venait d'entrer dans la cinquantaine, la vie lui paraissait insupportablement terne. Usée. Il éprouvait, face aux testaments, aux contrats, à toute la paperasse de sa profession, une perte presque totale d'intérêt. Et même ces romans qu'il venait de se procurer ne racontaient probablement que des histoires usées, semblables à celles qu'il avait déjà lues des centaines de fois. Noël approchait mais même les décorations lumineuses particulièrement élaborées des grands magasins et de certaines maisons ne parvenaient pas à le tirer de sa morosité.

Il vit, garée au bas de la longue pente du pont, une auto de la Sûreté du Québec. Il n'y porta guère attention, sûr de ne contrevenir en rien aux lois de la circulation, mais les gyrophares rouge et bleu s'allumèrent et le policier lui fit signe de s'arrêter. Étonné, il baissa la vitre.

— Permis de conduire.

— Qu'est-ce qui ne va pas? s'enquit le notaire.

— Vous rouliez avec l'œil gauche complètement éteint et

avec l'œil droit à moitié éteint, répondit l'agent en le dévisageant d'un air sévère.

Louis eut envie de s'esclaffer, mais il se ressaisit rapidement car le représentant de la loi ne plaisantait pas.

— Vous avez quarante-huit heures pour vous faire examiner la vue, après quoi vous serez passible d'une amende, conclut-il brusquement en lui remettant un constat d'infraction.

Louis, éberlué, repartit en direction de Nicolet et après une halte à son étude, se rendit à la Polyclinique pour raconter sa mésaventure à un optométriste de ses amis. Cela réactiva ses souvenirs car le père de Louis, mort depuis vingt-cinq ans, était optométriste.

Il gara son auto devant la Polyclinique. À proximité de la porte, il s'arrêta devant une plaque sur laquelle il lut: *Lucien Robert, optométriste, opticien*. C'était le nom de son père et la plaque fixée jadis sur la façade de son bureau. La façade d'ailleurs n'était plus celle de la Polyclinique mais celle de la maison natale de Louis, en pierre des champs, avec une fenêtre servant de vitrine où son père disposait, en temps normal, des lunettes et où, à l'époque de Noël, il assemblait un village miniature composé d'une église et de quelques maisons derrière lesquelles ondulaient des collines de carton. Chacune de ces maisonnettes était habitée par une ampoule rouge ou bleue ou verte dont la lueur, franchissant des vitres de papier, tachetait de couleurs des congères d'ouate. Et justement, ce village était là, devant lui, dans la fenêtre, et Louis, reculant d'un pas, se frottant d'une main le menton, le regardait, abasourdi. Il ne comprenait pas pourquoi ce village se trouvait ainsi reconstitué, pas plus qu'il ne comprenait comment, jadis, il avait pu contempler avec émerveillement ces petites constructions de carton coloré. Il fut sur le point de rire de sa naïveté d'antan, mais, au même moment, il regretta amèrement cette époque où il suffisait de quelques babioles pour lui procurer des moments d'intense bonheur.

Il ouvrit la porte pour en finir avec cette vision, mais dès qu'il eut franchi le seuil, il se retrouva à l'âge de neuf ans dans le salon familial que son père, dont les moyens financiers étaient modestes, transformait pendant le jour en bureau. Son père avait apprivoisé un serin et lorsqu'il travaillait à réparer des lunettes, l'oiseau jaune venait se percher sur sa tête. Mais quand une religieuse, arrivant toujours accompagnée d'une consœur, s'assoyait, le nez coiffé de grosses lunettes métalliques capables de porter plusieurs verres, afin de subir un examen de la vue, Louis et ses frères devaient se tenir tranquilles, le serin aussi, réfugiés dans la cuisine qu'une simple porte séparait du salon. Mais le soir, les trois garçons pouvaient s'amuser tout à loisir, prenant place sur ce fauteuil, regardant à travers diverses lentilles les lettres imprimées sur un tableau fixé au mur, jouer avec les pinces, les étuis, l'ophtalmoscope. Au mur du bureau, une affiche montrait un œil énorme avec des traits noirs indiquant l'emplacement de la cornée, du cristallin, de la rétine. Louis, parfois, s'assoyait dehors, sur les marches de l'entrée, prenant plaisir à porter une grosse monture sans verres pour observer les passants, avec la certitude de les dévisager avec des yeux énormes.

Son père était là, assis à sa table de travail mais, comme à l'habitude, il dessinait des notes de musique sur des feuilles qui s'amoncelaient parmi les lunettes, car il était aussi directeur de fanfare et devait recopier des partitions pour les divers instruments.

Louis s'approcha de son père, ne voulut pas le déranger, puis il courut dans la cuisine où s'activait sa mère. Il se jeta dans ses bras. Elle le serra contre elle. Mais c'était déjà le soir et il devait monter se coucher. Il avait l'habitude de s'endormir au son des instruments, car son père réunissait souvent des musiciens, en soirée, pour leur faire répéter les morceaux qu'ils iraient ensuite interpréter au kiosque de la ville ou en marchant au pas militaire par les rues. «Après deux!» ordonnait son père en battant la mesure, et trompettes, trombones, clarinettes, saxophones de laisser jaillir leurs accords plus ou moins discordants. Louis et ses frères s'allongeaient, cachés dans l'ombre, juste au-dessus de l'orchestre car une grille perçait le plafond, faite pour laisser monter l'air chaud à l'étage, par les trous de laquelle ils pouvaient assister à ces curieux concerts. Parfois, c'était le boulanger qui commençait à apprendre le tuba en répétant inlassablement les mêmes lourdes notes: «poum-poum-poum-poum-poum-poum». Parfois, c'était le cordonnier qui s'essayait aux rudiments du trombone à coulisse, mais toujours la magie envahissait la maison, transfigurant des citoyens ordinaires en des créatures capables de changer leur souffle en mélodie. Les trois garçonnets restaient là, silencieux, tapis contre la grille, enchantés par les sons produits pourtant par de maladroits interprètes.

Une fois le silence revenu dans la maison, sa mère monta le border et, comme jadis, il lui sauta au cou, l'embrassant sur le nez, les yeux, les joues, dans les cheveux, ne la laissant plus partir. Amour fou dont la ferveur à nulle autre par la suite ne se peut comparer, car il a le privilège d'être le premier. Après d'interminables démonstrations d'affection, Louis finissait toujours par libérer sa mère. Puis il restait là, couché dans le noir, le cœur battant, comme s'il venait d'étreindre le soleil avant de le laisser tomber dans la nuit. Mais il savait que le soleil se relèverait le lendemain matin et qu'une autre journée exaltante allait commencer.

Il eut de la difficulté à s'endormir en pensant aux innombrables plaisirs qui l'attendaient à son réveil.

Il montait parfois dans la voiture du laitier pour l'accompagner dans sa ronde et découvrait les rues de Nicolet en tenant les cordeaux du cheval dont la croupe se balançait entre les brancards.

Parfois, il partait avec son père lorsque celui-ci se rendait faire des examens de la vue dans les villages voisins: Saint-Célestin, Saint-Elphège, Sainte-Brigitte-des-Saults, La Visitation. Son père roulait lentement par les chemins de campagne pour ne rien manquer du spectacle de la nature. La moindre corneille posée sur un piquet, le moindre goglu gazouillant sur une clôture, le moindre épervier planant au-dessus des champs de maïs, la moindre marmotte debout sur le pourtour de son trou, tout le captivait. Il s'arrêtait alors et disait à l'enfant: «Regarde le pic flamboyant! Regarde la poitrine rousse de l'hirondelle des granges!» Il s'arrêtait aussi pour cueillir des salicaires roses et des verges d'or. Il s'arrêtait aussi pour manger des mûres, des framboises, des bleuets, car il semblait connaître toutes les talles de fruits sauvages dissimulées aux abords des bois ou dans des clairières auxquelles on accédait par de petits sentiers broussailleux et parfumés où bourdonnaient des abeilles et où des papillons jaunes déroulaient leurs trompes dans des calices de liserons aux tiges convolutées.

Les soirs d'été, Louis courait jusqu'au kiosque du parc municipal pour les concerts de verdure. Un curieux véhicule constitué d'une cabane de métal montée sur le châssis et les quatre roues d'une ancienne automobile s'approchait en tintinnabulant puis se rangeait près du parc. D'une petite cheminée montaient de la fumée et une odeur de graisse. À l'intérieur, un homme nerveux, tout en sueur, s'affairait, coincé entre ses poêles, dans une chaleur d'étuve, à découper des patates et à les plonger, à pleines écumoires, dans la friture dorée. Les adultes apportaient leurs chaises pliantes et prenaient place sur l'herbe. Les jeunes se rassemblaient là, mangeant de la crème glacée ou des patates frites, tentant de monter sur la plate-forme du kiosque pour s'y asseoir tout près des musiciens, mais le père de Louis les chassait comme des mouches, avec de grands gestes des bras. Une banderole suspendue au kiosque portait l'inscription CONCERTS MOLSON. Faute d'avoir complètement rétabli l'ordre, le directeur faisait signe à ses hommes de se préparer à souffler dans leurs instruments. Alors éclataient les accords militaires de *Colonel Boghei* et la foule se taisait, saisie par le dynamisme de cette marche, les notes puissantes des tubas, les trompettes stridentes et l'éclat des cymbales qu'un fier-à-bras levait bien haut avant de les entrechoquer. Un saxophoniste à l'allure distinguée interprétait la valse de *La veuve joyeuse*. Un trompettiste, se levant fièrement, jouait *Le carnaval de Venise*. Puis, une fois l'atmosphère créée, le directeur offrait aux auditeurs la *Valse Annette* pour laquelle il avait une prédilection, car les saxophones pouvaient y dérouler tout leur velours dans une mélodie langoureuse qui faisait le bonheur des amoureux se bécotant dans les coins d'ombre du parc.

Ces spectacles ravissaient l'enfant car il admirait encore plus son père en directeur de fanfare qu'en optométriste, ce qui d'ailleurs correspondait à la réalité car son père préférait la fanfare à son travail d'optométriste.

Au retour de l'école, l'enfant s'arrêtait parfois au campanile érigé près d'un champ de pissenlits. La cathédrale de Nicolet était une construction si colossale, si lourde pour un sol glaiseux, qu'on n'avait jamais osé hisser les cloches au sommet des deux flèches, de peur que l'édifice ne s'enfonce comme en des sables mouvants ou qu'il ne bascule dans la rivière sise à quelques centaines de mètres de la façade en pierre. On avait donc disposé les cloches à l'arrière de la basilique, et le bedeau, pour les faire sonner, tirait sur de gros câbles qui, une fois l'élan donné, montaient et descendaient par eux-mêmes. L'enfant s'arrêtait là et le sacristain lui permettait de s'asseoir sur l'un des nœuds formés à la base des câbles. L'enfant alors, se tenant ferme, était emporté à plusieurs mètres au-dessus du sol, soulevé comme un fétu dans cette construction de bois où la sonnerie des cloches s'amplifiait ainsi qu'en une caisse de résonance. On eût dit qu'il pénétrait dans le ventre d'un instrument et devenait aussi léger qu'une des notes de cette musique.

Et si c'était l'hiver, il chaussait ses skis et filait sur la surface durcie de la rivière, entre les collines blanches des rives, causant avec son meilleur ami, le soleil, qui glissait à côté de lui, sur ses skis de lumière.

À cette époque, le monde était flambant neuf. L'univers avait le même âge que Louis. Aussi était-ce avec ravissement qu'il posait son regard sur un arbre, un oiseau, un paysage qui, n'ayant jamais existé avant lui, semblaient venir d'apparaître, là, tout fraîchement créés, aussi jeunes que sa petite vie.

Louis s'éveilla tôt, afin de profiter pleinement de la journée. Mais au moment de se lever, il éprouva une douleur dans le dos et la sensation d'une grande fatigue. C'est qu'il avait dormi dans son lit d'enfant mais avait recouvré, au cours de la nuit, sa taille d'adulte, en sorte que ses bras et ses jambes dépassaient du lit. Choqué d'avoir retrouvé sa taille au moment où il allait réintégrer le paradis de son enfance, et ne voulant pas retourner dans la vie terne quittée la veille, il se leva et alla se cacher dans la penderie.

Lorsque sa mère l'y découvrit, il voulut se jeter dans ses bras, mais se retint car il était maintenant plus grand qu'elle. Il se sentait d'ailleurs complètement ridicule, dissimulé ainsi parmi les vêtements, et, l'air penaud, il descendit au rez-de-chaussée où son père, qui ne le reconnut pas, lui signifia de prendre place sur le fauteuil de son bureau. Louis bredouilla quelques mots mais son père, séparé de lui par une sorte de pellicule invisible, ne l'entendait pas.

Et l'examen de sa vue commença.

Louis tenta de lire, sur un tableau fixé au mur, des lettres de plus en plus minuscules. Comme il n'y parvenait guère, son père disposa sur le tableau un carton représentant un arbre, un oiseau, une fleur, un papillon. Mais Louis fut incapable de les identifier. Alors son père ouvrit un coffret tapissé de velours rouge où s'alignaient, soigneusement rangées, de petites ampoules de vitre contenant chacune un œil vivant. Son père choisit des yeux d'une lumineuse fraîcheur que Louis reconnut aussitôt car c'étaient ses yeux d'enfant. D'un geste habile du pouce, son père retira les yeux d'adulte de Louis et les remplaça par ses yeux d'enfant. Cette opération se déroula rapidement et Louis s'étonna de ne ressentir aucune douleur. Au contraire, lorsque tout fut terminé, il éprouva un bien-être extraordinaire. Il lui sembla que, comme jadis, il voyait le monde pour la première fois. Et il était si excité par ce changement qu'il se leva d'un trait du fauteuil et sortit de sa maison natale sans même penser à remercier son père ou à le payer en retour de ses services, tant il avait hâte de se retrouver dehors pour admirer la nature. C'était le matin, un beau matin d'hiver. Les arbres immaculés, veloutés de frimas, brillaient de pureté sur le bleu du ciel. Les arbres pareils à de grands oiseaux blancs. Leurs branches déployées comme des ailes, on les sentait sur le point de replier dans leurs plumes leurs pattes de racines pour prendre dans l'azur leur envol. Ils ne s'éloigneraient pas bien longtemps de la Terre, juste assez pour se sentir libres, légers, pour échapper aux lois les contraignant à rester enfoncés dans le sol, pour échapper à l'habitude. Ils allaient se déployer telle une volée d'oies blanches, monter, monter jusqu'au soleil, se poser sur ses rayons comme sur les branches d'un immense arbre d'or. Puis ils allaient revenir et se

Il regarda par la fenêtre, se proposa d'aller faire une longue randonnée à skis, mais une toux brutale vint lui déchirer la poitrine. Il se sentit si épuisé qu'il retomba sur sa chaise. Il fourra quelques bouts de bois dans la fournaise; l'espoir lui échappait comme la chaleur par la cheminée. Puis il lui vint à l'esprit de feuilleter les albums dans lesquels il conservait des photographies prises à diverses époques de sa vie.

Sur l'une d'elles il se vit, à l'âge de seize ou dix-sept ans, vêtu d'un collant, la tête entourée d'une couronne de plumes, et des petites plumes collées autour de ses yeux, sur son front, sur ses joues. Il incarnait Ariel, dans *La tempête* de Shakespeare, pièce dans laquelle il avait joué lorsqu'il étudiait au collège. Cette photo le ramena instantanément dans le passé. Il se sentit devenir «flocon d'air», ainsi que le magicien Prospéro l'appelait dans la pièce. Flocon d'air. Il se souvint d'une réplique: «Je bois l'air devant moi.» Si le jeune homme d'alors s'était si bien fondu avec cet être couronné de plumes, c'est qu'il portait en lui une immense rêverie d'envol. Pour le pur plaisir d'être libéré de tout poids et souvent aussi pour s'évader hors de la matière. Il se souvint avoir écrit dans son journal: «Tout le mal vient de ce que je ne suis pas oiseau.» Mais aujourd'hui, il redoutait plus que tout d'être emporté hors du réel et il souhaita que ses orteils s'allongent en forme de racines, plongent au cœur de la terre et l'y maintiennent solidement comme un chêne plusieurs fois centenaire.

*
*   *

Les jours suivants, éprouvant de la difficulté à lire, l'homme entreprit d'effectuer de longues promenades. Malgré le froid. Il se vêtait de son parka, se couvrait la tête d'un casque à oreilles doublées de fourrure, et portait parfois un cache-nez pour empêcher l'air glacial de pénétrer trop crûment dans ses poumons.

Il quittait sa maison, située à peu de distance du fleuve, puis marchait sur un chemin tranquille longeant le Saint-Laurent, avec à sa droite quelques demeures construites en bordure de la plage, et à sa gauche un champ où poussait en été du maïs, mais qui, à cette époque de l'année, était une surface d'un blanc immaculé où le vent, selon les heures, burinait des arabesques, sculptait des vagues, brodait de la dentelle ou aiguisait des lames éblouissantes. Un chemin tranquille qui conduisait jusqu'à Port-Saint-François, petite agglomération riveraine où s'étaient écoulées son enfance et sa jeunesse, minuscule village constitué de maisons et de chalets érigés le long du rivage, pareils à ces goélands qui se posent côte à côte sur la lisière de l'eau et du sable doublant d'un liséré de plumes blanches la frange d'écume de la vague. Un chemin tranquille conduisant jusqu'au quai de Port-Saint-François, jetée de béton s'avançant vers les eaux profondes du Saint-Laurent, refuge des pêcheurs, des amoureux, des amateurs de couchers de soleil, des rêveurs, et mur puissant agressé chaque printemps par la débâcle qui, s'échinant à le briser, doit se contenter d'y accumuler d'impressionnantes banquises luisant bleues et vertes sur le gris tourmenté du ciel.

Le fleuve, en hiver, avec sa carapace de glace, est une plaine sauvage évoquant parfois, balayée violemment par les vents, l'allure d'un astre perdu aux confins de l'univers. Complètement hostile à toute présence humaine.

Guy Beauchemin n'aimait pas le vent.

En son enfance, parfois, au mois d'août, après une semaine de canicule, un mur noir se levait au fond du lac Saint-Pierre et fonçait, tout zébré d'éclairs, vers la plage de Port-Saint-François où ses parents, pendant l'été, habitaient un chalet. L'eau se hérissait en trombes grises tournoyant à la surface du fleuve. Les arbres tremblaient de peur avec des sifflements de feuilles et, voulant s'arracher du sol pour fuir vers un abri, tiraient sur leurs racines. On fermait précipitamment portes et fenêtres, on se couchait sur le plancher, tandis que l'ouragan, essayant de soulever la maison, se jetait, rageur, sur les canots qu'il faisait rouler sur la grève, sur les grosses chaises qui s'envolaient en lourds oiseaux de bois, sur les arbres dont il arrachait des branches. Luttant corps à corps contre un peuplier, il lui brisait les reins et le rejetait mort sur le sable où on le retrouvait les os saillant hors de sa peau d'écorce déchirée. S'arc-boutant parfois de tous ses muscles à la couverture d'un chalet, il en soulevait un coin, le broyait dans ses poings, le lançait sur le sol telle une aile cassée. À cette époque, déjà, Guy n'aimait pas ces tornades soudaines.

Tandis qu'il marchait, ce jour-là, sur ce chemin enneigé qui longeait le fleuve, l'homme, s'efforçant d'oublier son malheur, se laissa emporter dans son passé.

Au début de la vingtaine, lorsqu'il s'était retrouvé marié et heureux, il avait décidé de découvrir un coin paisible pour y construire son existence à l'écart des ouragans du temps.

Il acheta une roulotte, d'une vingtaine de mètres, et l'installa à l'extrême pointe du hameau nommé Bas-de-la-Rivière, non loin de Nicolet. Au bout d'une route se terminant en cul-de-sac. Ensuite, c'était la végétation profuse d'un marécage et d'un bois dont les arbres plongeaient leurs racines dans un sol spongieux car l'eau, sur ces terres basses qui forment l'estuaire de la rivière, n'est jamais bien loin. La roulotte ne s'élevait pas en bordure de la rivière. Elle en était séparée par un vaste champ. Mais il avait néanmoins fallu la hisser sur une butte artificielle pour la protéger contre d'éventuelles crues. C'est là que Guy entreprit de donner de la solidité à sa vie, dans cette petite maison en aluminium posée sur des roues et enfouie dans le feuillage à la manière de ces nids que des oiseaux camouflent pour les mettre à l'abri du vent.

Chaque jour, au retour de son travail, il y retrouvait sa femme et ses deux enfants. Sa femme dont il ne se lassait pas d'admirer la beauté, la caressant, l'embrassant, lui répétant: «Tu es belle, tu es fine.» Sa femme aux longs cheveux noirs qu'un léger vent soulevait parfois comme avec les mains d'un invisible ravisseur. Ses enfants dont il aimait partager les jeux. Sa petite fille pointant un œil coquin par la fenêtre d'une grande boîte de carton lui servant de maison. Marchant, toute mignonne, en équilibre instable, ses menus pieds posés dans les souliers à talons hauts de sa mère. Son petit frère, bouffon lilliputien debout dans les bottes de son père qui lui montaient jusqu'à l'aine et coiffé loufoquement d'un chapeau lui descendant jusqu'au-dessous du nez.

Guy se procura un puissant doberman. L'hiver, il lui passait autour du cou un attelage, chaussait ses skis et se laissait traîner sur la surface du fleuve par la bête bondissant de plaisir à la seule suggestion d'une telle randonnée. Courant sans le moindre effort apparent, le chien l'entraînait à travers des marécages piquetés de roseaux jaunis puis filait sur les rives désertiques comme une sorte de loup retrouvant la liberté de la toundra. Aussi bien que d'alcool brûlant, on peut s'enivrer de pureté glaciale. Guy buvait l'air boréal jusqu'à éprouver en lui une sorte d'extase. Au détour d'un monticule s'envolaient parfois des perdrix qui dormaient tapies les unes contre les autres dans la neige. L'homme buvait l'air pur comme un être assoiffé d'absolu. Son cœur rêvait alors d'un monde que jamais n'aurait souillé le mal, d'un monde intouché par le temps. De retour à la roulotte, les joues vermillonnées de froid, il prenait place sur une chaise berceuse. Sa femme aussitôt venait s'asseoir sur ses genoux comme une petite fille et il la berçait doucement en caressant sa longue chevelure dont le noir se détachait sur les paysages de neige dont il s'était rempli les yeux et qui continuaient d'étendre dans son âme leur silence immaculé.

Guy habita quelques années à cet endroit, mais il ne les compta pas car il cherchait l'oubli du temps.

Derrière la roulotte, un sentier bucolique s'enfonçait dans le bois. Bordé sur la droite d'une frange de verges d'or et de tiges rouges de cornouillers, il donnait sur des marécages où foisonnait la sauvagine. Sur la gauche, des chênes, des érables, des frênes, liés les uns aux autres par un enchevêtrement arachnéen de liserons, de concombres grimpants et de vignes aux raisins noirs, formaient une sorte de jungle étrange où caquetaient des écureuils.

Guy avait baptisé ce sentier: le chemin de mon cœur. Il y allait souvent marcher avec son petit garçon qui, raffolant des déguisements, y promenait sa figure de lutin peinte de croissants de lune et de soleils. Et avec sa fillette vêtue de sa jupette quadrillée, qu'il appelait en riant et en imitant quelque écho sylvestre: ti-fille-des-bois-des-bois-des-bois-des-bois.

Ils s'arrêtaient ici et là, selon les saisons, pour ramasser sur le sol des glands dont ils retiraient la cupule pour la déposer en guise de béret sur le bout de leur pouce. Recueillaient des samares qu'ils lançaient en l'air où elles virevoltaient en hélices. Collectionnaient de grandes feuilles d'érable rouges comme des mains coupées. Auprès d'une souche, une chaloupe verte défoncée, envahie par l'herbe et la mousse, avait fait naufrage parmi des tiges d'asclépiades dont les soies, soulevées par le vent, s'envolaient pareilles à des montgolfières d'elfes. Soulevées par le vent. Dont les soies soulevées par le vent. Le vent. Des geais bleus lançaient leurs cris d'alarme. Des tamias rayés se répondaient par des «bip-bip» évoquant les signaux codés d'une sorte de morse. Des arbres encroués laissaient monter dans les zones d'ombre des geignements de fantômes. Des bandes pépiantes de chardonnerets crépitaient en une pluie d'or dans les buissons. Le pinson à gorge blanche sifflait ses longues notes harmonieuses et si légères qu'elles paraissaient flotter dans l'air comme des fils de la vierge. Les fougères, ailes de dentelle, sortaient de l'humus comme des rêves d'envol de la terre. Ils se penchaient pour broyer entre leurs doigts des feuilles de menthe dont l'odeur verte leur sautait aux narines. Grimaces de gnomes, d'énormes champignons, paraissant surgir de l'écorce des arbres, tiraient dans leur direction leur langue orange. Ils s'arrêtaient devant un saule au tronc gigantesque dont les ramures formaient un geyser de feuilles fraîches retombant vers le sol. Les gratteaux roses de la bardane s'accrochaient à leurs vêtements comme pour tenter de les métamorphoser en buissons. Les belles fleurs bleues de la chicorée sauvage étoilaient les abords des fossés. Des papillons blancs se posaient avec des délicatesses de baisers sur des massifs de foin d'odeur.

Un printemps, l'eau, débordant du fleuve, se mit à courir sur les terres basses. Le 20 avril, en fin d'après-midi, sournoise, sortant des marais, du bois, de partout, elle envahit tout le terrain et transforma la butte sur laquelle juchait la roulotte en une petite île étrange. Guy s'empressa d'aller garer son auto quelques centaines de mètres plus loin et il passa la nuit à surveiller la crue. Au matin, il dut utiliser son canot pour se rendre jusqu'à son auto. Une pluie diluvienne se mit à cribler de gouttes la surface de ce lac insolite. Des vents violents gonflèrent des vagues qui vinrent mordre avec rage la butte. Elles s'y jetaient, lèvres baveuses, crocs pointus, et se retiraient la gueule pleine de terre. On dut faire appel à des secouristes qui vinrent disposer des poches de sable pour empêcher l'effritement du monticule. La roulotte fut sauvée de justesse. L'eau, frustrée dans son désir de destruction, tournait en remous autour de la butte. L'inondation dura une quinzaine de jours. Pendant toute cette période, on dormit mal dans la précaire habitation. Chaque matin, Guy devait monter dans son canot et pagayer jusqu'à son auto. Le soir, au retour de son travail, le paysage prenait parfois des allures sinistres. Chaussé de hautes bottes, pataugeant dans l'eau glacée, les bras chargés de livres et de sacs d'épicerie, il remontait dans le canot et avironnait en direction de sa maison. Mais il pleuvait souvent. Il ventait par coups brutaux changeant la direction de l'embarcation, les forts courants le faisaient dériver. Il apercevait, loin devant, les deux fenêtres illuminées de la roulotte et la silhouette de sa femme qui, retroussant un rideau, l'attendait anxieusement. Un soir, il lui revint en mémoire la légende d'un passeur qui, attiré par une fée de l'onde, avait péri dans les remous de la nuit. Cette lueur, là, devant lui, n'était peut-être qu'une vision. Son grand amour peut-être n'avait-il été qu'une chimère. Il cessa d'avironner, regarda la roulotte émergeant à peine des ténèbres et ne sut plus s'il devait continuer de pagayer ainsi dans toute cette encre glacée au risque de se faire happer par les remous d'un mirage, au risque de sentir, le basculant de son canot, l'étouffant sous l'eau, se resserrer sur lui les mains froides de la nuit.

Il surmonta ce moment de désarroi qu'il attribua à la fatigue et à l'insécurité engendrées par l'inondation.

Du plus loin qu'il pouvait se rappeler, il avait toujours aimé l'eau et s'était toujours senti aimé par elle. L'eau occupait dans son existence une place capitale. Pourquoi donc se dressait-elle soudain contre lui? Comment pouvait-il désormais avoir confiance en elle? Vivre au bord de l'eau, en fin de compte, n'était-ce pas comme vivre au bord du rêve?

À la mi-mai, enfin, l'eau se retira suffisamment pour ne plus présenter de menace. Mais elle resta là, aux environs, ensorceleuse. Elle se fit douce, belle, devint l'amante du soleil. La température s'éleva rapidement. Il fit même très chaud. L'eau n'était plus qu'un sourire. Comme elle couvrait le sol de toute la forêt, Guy, sa femme et ses enfants exécutèrent chaque jour de longues randonnées en canot parmi les arbres. Le caractère inusité de cette situation plongeait le paysage en pleine féerie. Ils circulaient parmi les troncs et les buissons. Les arbres, dédoublés par leur reflet, créaient une forêt inversée, et le canot, glissant à la base des géants d'écorce, avait sous lui toutes les ramures enchevêtrées et tout l'abîme bleu du firmament. Des petits canards garrots aux joues blanches flottaient ici et là comme des boules de neige ayant oublié de fondre. D'énormes carpes caparaçonnées d'écailles venaient s'ébrouer en surface. Des rats musqués, la queue dressée en point d'interrogation, se laissaient dériver puis sillonnaient l'eau, pareils à d'étranges poissons de fourrure. Le soleil se cachait derrière les arbres tel un enfant puis il courait sur l'onde avec de grands pieds palmés de rayons.

À l'évocation de cette scène, Guy se crut en train de revivre le bonheur des premières années de son mariage. Mais un coup de vent soudain brouilla de vaguelettes la surface de son rêve, effaçant l'image des quatre passagers du canot qui se mirait dans l'eau. Et lorsque le calme revint, redonnant à l'eau sa limpidité, Guy se retrouva seul dans la frêle embarcation. En proie à un grand crève-cœur, il promena autour de lui ses yeux hagards, cherchant sa femme et ses enfants. Puis il avironna, trembleur, jusqu'à la rive où, en descendant du canot, il aperçut sa figure reflétée sur l'eau. Il retint un cri car sa figure était celle d'un vieil homme et tous ses cheveux désormais étaient blancs.

Ce n'était plus le printemps mais l'automne. Les feuilles jonchaient le sol. Guy leva son regard. Dans le ciel planaient, comme cela se produit parfois en octobre, des goélands si nombreux qu'ils rappelaient ces petits papillons voletant au-dessus des rivières par les humides crépuscules de juillet. Spectacle impressionnant. Jamais il n'avait vu un tel rassemblement. Autour de lui se dressaient des tiges d'asclépiade, cette plante qui produit des fleurs roses pendant l'été puis des cosses qui s'ouvrent aux premiers froids pour laisser s'envoler des multitudes de soies. Les cheveux de Guy ressemblaient à ces soies et il se sentit si vulnérable, si faible soudain que son corps perdit tout son poids. Et lorsqu'une bourrasque se leva, arrachant aux arbres leurs dernières feuilles, Guy fut soulevé de terre. Sa chair était devenue si poreuse qu'il pouvait maintenant voir à travers avec effroi. Il virevolta un moment au-dessus du bois qu'il avait tant aimé puis il fut emporté et dispersé par une saute de vent.

Guy Beauchemin, marchant sur le chemin gelé qui longeait le fleuve, fit un grand geste de la main pour chasser cette vision et il se sentit soudain si fragile, si friable qu'il s'empressa de regagner sa maison.

Chaque jour néanmoins, réunissant son courage, l'homme retourna affronter le froid en effectuant de longues promenades sur ce chemin où, malgré les assauts du vent et de la neige, reprenaient vie les plus beaux souvenirs de sa jeunesse.

Le reste du temps, il s'assoyait sur sa berceuse en bois, près de la fenêtre de la cuisine, et regardait les geais bleus se poser avec panache sur la neige, les sittelles, tête en bas, piqueter l'écorce des arbres, les petites mésanges s'emparer de graines de tournesol qu'elles tenaient entre leurs pattes et dont elles brisaient l'écale avec leur bec. Et souvent sa femme s'assoyait devant lui, sur une chaise droite. Ils se prenaient les mains, enlaçaient leurs jambes, se contemplaient, yeux dans les yeux, sans dire un mot ou murmurant des «Je t'aime».

Un midi, sur la fin de mars, Guy, se levant de sa berceuse pour passer à table, resta soudain cloué sur place. Il ne pouvait plus parler, ne voyait plus et ne savait plus où il se trouvait. Sa femme, affolée, l'emmena d'urgence à l'hôpital.

Au retour, l'incohérence qui s'était manifestée sporadiquement les jours précédents s'était encore accrue, accentuée par la surexcitation. Le soir, assis au salon, terrifié par ce qu'il venait de vivre, il fondit en larmes. Il paraissait si inconsolable que sa femme, l'embrassant sur le front, lui caressant la tête, dit à voix feutrée: «Il ne faut pas avoir tant de peine.» Mais l'homme, retrouvant sa lucidité, répondit, la fixant avec ses yeux élargis par la douleur: «J'aurais moins de peine si je t'aimais moins.»

Et lorsqu'il s'allongea sur son lit pour dormir, il se sentit si faible, si vulnérable qu'il eut besoin, comme un petit enfant, de s'évader dans une histoire, et c'est le début de ses amours qu'il revécut sous la forme d'un conte.

À vingt-trois ans, Guy Beauchemin s'acheta un scooter et dès qu'il l'enfourchait, son petit épagneul sautait derrière lui, sur le siège du passager où il parvenait à se maintenir en équilibre, raffolant de se promener ainsi avec son maître par les rues de Nicolet.

Le jeune homme se mit à sillonner les routes de campagne, pour le plaisir de filer sans but, mais il se rendit compte que ses allées et venues le ramenaient souvent au village de Sainte-Monique, situé à une quinzaine de kilomètres de Nicolet. C'était certes l'un des plus jolis coins de la région, mais c'était aussi le lieu un peu mythique où son père situait jadis l'action des histoires qu'il racontait, le soir, à ses enfants.

Un jour de juillet, Guy Beauchemin se fit conduire par un ami à quelques kilomètres en haut de Sainte-Monique. Il mit à l'eau son canot et entreprit de suivre le cours de la rivière Nicolet jusqu'au fleuve.

Sainte-Monique est un hameau particulièrement bucolique. On y parvient par une route de plaine sans se douter qu'au sortir du village, le paysage se transforme totalement. La plaine s'affaisse et plonge dans la rivière sinueuse. La route descend en pente raide jusqu'à un pont, très haut sur pilotis, qui semble franchir le cours d'eau sur des pattes de héron. Du village, perché sur ce promontoire, la vue embrasse un panorama tout mamelonné de collines, absolument enchanteur lorsque le soleil fait étinceler l'eau qui y serpente.

Une jeune femme aux longs cheveux noirs et aux yeux verts enseignait alors à Sainte-Monique, à l'école Arc-en-ciel. Née sur une ferme des environs, elle logeait, pour être plus près de son travail, dans la maison peinte en bleu d'une dame prénommée Étoilda. La jeune femme, qui s'appelait Claire, avait toujours sur les lèvres des mélodies que fredonnait sa mère Almanza. Elle chantait souvent :

> *J'ai vu passer l'hirondelle*
> *Dans le ciel pur du matin*
> *Elle allait à tire-d'ai-ai-aile*

Vers les pays où l'appellent
Le soleil et le jasmin.

Et elle-même, avec toute la légèreté de ce petit oiseau, adorait se rendre au sommet de la route qui dévale vers le pont afin d'y admirer le paysage.

Les dernières maisons du village, plantées sur la cime d'une déclivité abrupte tombant dans le grand S tracé par la rivière, semblaient – en équilibre précaire, toujours menacées par un glissement de terrain – sur le point d'ouvrir les ailes de leurs toits pour prendre leur essor dans le ciel. De cet endroit, la jeune femme avait devant elle la chevelure frisée et lumineuse de l'eau, toute bouclée de remous autour des roches qui affleuraient un peu partout. De l'autre côté de la rivière ondulaient en hautes vagues vertes des collines presque sans arbres où paissaient, disséminées comme d'étranges fleurs qui bougent, des vaches toutes menues dans le lointain. Et parfois de lourds cumulus gris et blancs, continuant dans le firmament ce décor pastoral, semblaient autant de vaches paisibles et rondes broutant dans les pâturages de l'azur.

En ce jour de juillet où Guy Beauchemin venait de monter à bord de son canot, la jeune femme, elle, descendant la route jusqu'au pont, s'était rendue tout au bord de la rivière et s'y était assise sur l'herbe. Elle portait une robe verte ornée d'oiseaux jaunes, et deux anneaux brillaient à ses oreilles, lui donnant l'allure d'une bohémienne. Elle avait toujours été fière de sa ligne de cœur, pas très profonde, parcourant sa paume d'un bord à l'autre mais fermée aux deux extrémités. Il faisait si beau qu'elle chantonnait l'air des *Trois valses*:

C'est la saison d'amour
C'est le joyeux retour

Du soleil, du muguet, du lilas,
Viens profiter de tout cela.

Elle trempait sa main dans l'eau. Elle était si heureuse, si en accord avec la nature environnante que sa robe, fil à fil, se perdit parmi l'herbe du pré, que les oiseaux jaunes imprimés sur le tissu se mirent à gazouiller et se mêlèrent aux bandes pépiantes de chardonnerets voletant dans les buissons. Si bien qu'à la fin, sans s'en rendre compte, elle se confondit totalement avec le paysage.

Le jeune homme, lui, pendant cç temps, avironnait. Son canot glissait au pied de hautes falaises de terre rousse couronnées d'une frise d'arbres dont certains, comme libérés des lois de la pesanteur, poussaient à flanc de précipices. Des goélands planaient dans le ciel. Il voyait devant lui, outre le clocher pointu de la vieille église en pierre, la guirlande de maisons de Sainte-Monique festonnant le promontoire. Sur la gauche, au loin, un champ de trèfles rosissait un grand carré de terre.

Guy Beauchemin avait lié dès l'enfance un pacte de confiance avec l'eau et il possédait la certitude que le bonheur lui viendrait de l'eau. Il chantait:

À la claire fontaine m'en allant promener
J'ai trouvé l'eau si belle que je m'y suis baigné
Il y a longtemps que je t'aime
Jamais je ne t'oublierai.

Les collines bougèrent avec douceur, évoquant des rondeurs d'épaules, de seins, de genoux. Une présence féminine partout émanait de la nature. Guy, touchant l'eau du bout des doigts, s'étonna de lui trouver la chaleur et le velouté de la chair. Et soudain il se retrouva en train de canoter dans le creux de la main de la jeune femme. La main qu'elle avait laissée tremper dans l'onde avait pris les dimensions de ce coin de campagne, la rivière était devenue la ligne de cœur de cette main, et le jeune homme glissait en canot sur cette ligne. Dès qu'elle le vit ainsi dans sa paume, elle sut qu'il n'en sortirait plus et elle en tomba amoureuse. Guy Beauchemin, lui, prenant conscience de cette situation, s'éprit de cette femme qui lui permettait de voguer sur sa ligne de cœur et il la baptisa: Claire Fontaine. Mais la paume de Claire Fontaine était si vaste! Aimait-il donc une géante? Non, la jeune femme était toute délicate dans sa robe verte, mais comme désormais il ne voyait plus qu'elle, comme il ne pouvait plus concevoir le ciel et la terre qu'à travers elle, elle devenait à ses yeux immense comme un univers. Guy Beauchemin ne se sentait pas captif dans cette main, bien au contraire, car il avait toujours rêvé de vivre en un paysage ensoleillé, dans la paume d'une femme aimée.

Guy Beauchemin, en son adolescence, avait souhaité devenir écrivain. Son ambition ne s'était pas réalisée, mais il lui arrivait parfois de laisser errer ainsi son imagination et de réinventer, pour le plaisir, certaines parties de sa vie, sous la forme de contes. Ce soir-là, il serra bien fort, avant de s'endormir, la main de sa femme dans la sienne.

*

*   *

Un jour d'avril, au retour d'une séance de chimiothérapie, les sons ne lui parvinrent plus que déformés, les aigus résonnant de façon métallique et insupportable. Un papier d'aluminium utilisé à la cuisine, des ustensiles disposés sur la table lui vrillaient les tympans. Tellement qu'il dut se résigner à se boucher les oreilles avec de la ouate. Il espéra que ce mal serait de courte durée, mais même brève, cette période s'annonçait pénible pour lui qui avait tant aimé la musique.

Assis au salon, il contempla longuement sa guitare noire dont il avait cessé de jouer à l'âge de vingt-deux ans et qu'il avait suspendue là pour n'y plus jamais toucher. Sans trop savoir pourquoi. Pendant vingt-cinq ans, celle qui avait enchanté sa jeunesse était demeurée silencieuse. Jamais plus il ne l'avait effleurée. Sa guitare gisait là, muette, tel un oiseau empaillé.

Et soudain, il se retrouva à l'âge de dix-huit ans. C'était l'été. Il venait de se procurer une petite tente et l'installa à l'extrémité est de Port-Saint-François dans un bois magnifique qu'il loua d'un cultivateur pour la somme de dix dollars.

Pour pénétrer dans le bois, on devait franchir un ruisseau. Le jeune homme disposa au-dessus des eaux parfois tumultueuses un mince tronc d'arbre en guise de pont, qui isolait bien son territoire car il fallait des qualités de funambule pour y passer sans perdre l'équilibre.

Il planta sa tente dans une clairière, traça un sentier conduisant à la rive et cacha son canot dans les joncs. Dans la section qui longeait le fleuve, le bois foisonnait de jeunes saules enchevêtrés de lianes de concombres grimpants. Des massifs de salicaire rose laissaient flatter leur fourrure par la main du vent. Des bandes pépiantes de pinsons et de chardonnerets voletaient sous les ramures basses. Entre les feuilles coupantes des hauts roseaux brillaient au soleil des agrions bleus bagués de noir, petites libellules vives comme des clins d'œil d'elfes. Le ruisseau, luisant tel le corps d'une couleuvre géante, étirait en se déversant dans le fleuve une longue langue de sable formant batture.

L'autre section du bois, s'éloignant du fleuve, s'étendait jusqu'à un champ où broutaient des vaches et des nuages, les premières donnant du lait pour le corps, les seconds donnant le lait du songe. Dans cette section, sous le couvert de hauts érables, chênes, peupliers et frênes, alternaient des clairières de sable et des zones humides proliférant de fougères.

Le jeune homme dressa sa tente sur un petit cercle de sable et y déroula, sur une simple toile de fond, l'étrange sac de couchage qu'il s'était procuré dans un magasin de surplus de l'armée. Un sac de couchage qu'il baptisa: sarcophage, car il avait l'allure d'une momie. Un sac beige, rembourré de duvet, enserrant les deux pieds dans une même poche, mais avec deux manches et un capuchon. Avec une grande boîte de métal trouvée sur la grève, il se fabriqua un poêle rudimentaire.

La première nuit qu'il passa dans cet abri de toile verte fut un ravissement. Il se coucha tard, contemplant les mouches à feu et les étoiles qui sont les lucioles de l'espace. Il écouta les menus craquements que font les bêtes de la nuit et les fantômes en posant leurs pattes et leurs pieds sur les brindilles. Il écouta aussi, étonné, l'oreille collée contre le sol, les coups sourds produits par le moteur des cargos passant loin au large et qui se transmettent si bien, par vibrations sous-marines et souterraines, qu'on croit entendre battre le cœur de la Terre. Peu avant l'aube, il se recroquevilla dans son sarcophage, ressentant sur sa peau, malgré son enveloppe de duvet, un peu de la fraîcheur du serein. C'est alors que le pioui de l'est, minuscule et perché sur quelque cime, lança les notes de son chant, brillantes comme des clés qui ouvrent la porte du jour. Et lorsque l'aurore alluma sa tente telle une lanterne, les parois lui parurent si transparentes et vertes qu'il se crut couché à l'intérieur d'une feuille. Des gouttelettes de rosée perlaient sur la toile comme partout sur les plantes, achevant de confondre la tente avec les végétaux. Le jeune homme, un instant, se crut un oiseau, blotti dans son duvet, prêt à prendre son envol en même temps que le soleil ouvre ses ailes de rayons. Puis son sarcophage lui parut être une chrysalide et lorsqu'il parvint à s'en extraire, il acquit la certitude d'être métamorphosé en sylphe. Il sortit pieds nus dans la clairière. Sa chair avait la fraîcheur mouillée d'une tige de plante. Une légère brise soufflait dans la grande flûte de la forêt d'où montaient des gazouillis. Il marcha jusqu'au bord du fleuve, se mira dans l'eau calme et sa figure lui parut verte comme une feuille. Il piqua dans ses cheveux une plume blanche de goéland et, génie de l'air aux ailes de libellule, il crut s'envoler dans la lumière.

Le jeune homme s'assoyait souvent au bord du fleuve sur la batture formée à l'estuaire du ruisseau. Il lui semblait tenir par une corde les larges cumulus et il s'imaginait à bord d'un bateau à voile en train de naviguer sur la mer du ciel. Parfois, perché sur une grosse roche, il s'amusait à ouvrir les bras comme un cormoran qui se fait sécher les ailes. À l'une des branches d'un haut chêne, il avait attaché un câble auquel il grimpait avec agilité. Puis il montait jusqu'à la cime de l'arbre pour s'y laisser bercer au gré du vent.

Le soir, dans sa tente, assis à l'indienne, il écrivait des poèmes à la lueur d'une chandelle dont la flamme attirait dans la porte-moustiquaire des noctuelles qui battaient follement des ailes, des tipules, araignées au corps rond et à longues pattes, et parfois, une mouffette, intriguée par ce spectacle, s'approchait jusqu'à la moustiquaire et restait là à le regarder.

Le jeune homme ne resta pas longtemps seul dans son paradis. Trois de ses amis, possédant chacun une tente, s'installèrent à bonne distance de la sienne. Ils passaient leurs journées à canoter et à se baigner. Souvent, ils se rendaient sur le quai qui dressait sa masse de béton à une quinzaine de pieds au-dessus du fleuve. Là, plongeant du haut du tremplin, ils planaient bras ouverts avant de pénétrer dans l'eau noire et de nager dans les énormes vagues des bateaux qui passaient tout près. Parfois, serrant autour de leur corps des couvertures de laine pour lutter contre le serein de l'aube, ils se rendaient sur le musoir du quai et tombaient à genoux, pareils à d'étranges grands-prêtres, pour adorer le lever du soleil. Ils excellaient surtout à dresser de hauts feux de grève autour desquels se pressaient les jeunes gens de Port-Saint-François pour chanter, rire et nouer des amourettes.

Un soir, seul dans sa tente, enfoui dans son sac de couchage, contemplant le moucheron rouge de la bougie qu'il venait tout juste de souffler, Guy se sentit soudain le cœur envahi de musique. Il ralluma la chandelle, caressa les cordes de la guitare que ses parents lui avaient offerte peu de temps auparavant. Jusque-là, il n'avait fait qu'interpréter des airs à la mode autour des feux. Mais voici qu'une mélodie originale prenait forme en lui. Il en siffla quelques bribes, la développa, essaya des accords, y travailla une partie de la nuit. Les jours suivants, il composa plusieurs chansons dont quelques-unes inspirées par les oiseaux.

Les goélands, à cause du blanc et du gris pâle de leurs plumes et de la légèreté de leur vol plané, l'avaient toujours séduit par leur beauté. Mais au cours de cet été, ils exercèrent sur lui une véritable fascination. Il n'ignorait pas, certes, qu'ils jouent dans la nature un rôle peu ragoûtant de charognards, mais il oubliait volontiers cet aspect pour ne voir en eux que des esprits de l'air glissant sur le bleu de l'azur. Il y en avait toujours quelques dizaines à l'estuaire du ruisseau, sur la dune de sable. Ils y passaient sans doute la nuit en nombre beaucoup plus considérable. Le jeune homme allait souvent les voir à l'aube lorsque, posés sur la lisière de l'eau, ils forment comme une frange d'écume duveteuse. Il s'assoyait là, parmi eux, car ils ne le redoutaient pas. Parfois, prenant leur essor sur un fond de ciel sombre, ils brillaient, éclairés par le soleil, ramassant sur eux la lumière à la manière d'un aimant. D'autres restaient là à se faire bercer, évoquant une flottille de caravelles antiques ornées de têtes d'oiseaux en guise de figures de proue. D'autres, immobiles, debout sur le sable, semblaient hypnotisés par le friselis du vent dans les roseaux. D'autres s'élevaient vers le firmament pour redescendre en planant et faire luire les plumes de leur ventre blanc.

Au cours de cet été-là, Guy Beauchemin consacra beaucoup de temps à de longues randonnées en canot. Il peignit même son canot en blanc, l'appela *Le goéland*. Lorsqu'il pagayait avec rapidité, le soleil, étincelant dans le léger sillage, dessinait à la surface du fleuve une traînée de reflets ressemblant à la queue d'une étoile filante. Et parfois, au large, se laissant dériver au fil du courant, il s'assoyait tout au fond du canot. Les lattes de cèdre de la charpente évoquaient les côtes d'un thorax de goéland et le jeune homme avait l'impression de se laisser glisser sur l'eau, réfugié dans la poitrine d'un oiseau.

Un matin, il découvrit dans un monceau de joncs flottants un goéland qui semblait mort. Mais l'oiseau aux yeux vitreux, aux ailes molles, respirait encore et Guy le ramena sur la rive. L'oiseau peut-être avait reçu un coup sur la tête ou s'était empoisonné. Le jeune homme entreprit de lui sauver la vie. Il lui lissa les plumes, lui nettoya le bec obstrué par de la glaise, l'attacha par une patte pour le garder toujours à proximité et, la nuit, il l'enfermait dans une grande boîte de bois pour le protéger contre les prédateurs. Si bien qu'au bout de quelques jours, le goéland ayant retrouvé des forces, il le libéra et le vit, tout heureux, prendre son envol.

Un soir de pluie, seul dans sa tente, jouant sur sa guitare à la lueur de la chandelle, il sentit monter de son cœur l'air et les paroles d'une nouvelle chanson. Il y travailla toute la nuit et l'intitula *Le goéland blessé*.

Guy Beauchemin, assis dans son salon, se remémora sans difficulté les mots de cette chanson et fut frappé par la tristesse de ce texte écrit à une époque qui, enluminée par le souvenir, s'était présentée à lui comme une période de sa vie placée tout entière sous le signe de la joie et de l'émerveillement. Il s'étonna d'y avoir peint par anticipation son destin d'homme brisé par une maladie absurde.

> *Qu'y a-t-il de plus triste*
> *Qu'un goéland blessé?*
> *Qu'y a-t-il de plus triste*
> *Qu'une aile brisée?*
> *Les renards l'auront tôt ou tard.*
> *Ni le ciel ni l'enfer*
> *Ni la terre ni la mer*
> *N'y peuvent rien.*

Avant et après ce refrain, il sifflait mélancoliquement la mélodie. Mélodie déchirante, dépouillée comme la douleur la plus nue. Un peu répétitive, apparentée au récitatif, presque une mélopée, évoquant un balancement égal de vagues et le rythme de lents coups d'ailes.

> *Dans les joncs verts et mûrs*
> *Il est tombé.*
> *Il a eu un coup dur*
> *Et s'est blessé.*
> *Il a tiré de l'aile jusqu'à l'île tout près.*
> *Dans son chemin du sang, du sang, du sang,*
>   *[oh! o-o-o.*

En chantant ce dernier vers, le musicien rendait audibles, par des notes détachées, les gouttes de sang.

> *Le soleil, le vent frais,*
> *Les vagues bleues*
> *S'enfuient de son cœur*
> *Et de ses yeux.*
> *Même le sable de l'île qui lui était si doux*
> *Maintenant lui fait mal, fait mal, fait mal,*
>   *[oh! o-o-o.*

> *Dans le bruit du vent*
> *Une plainte perdue.*
> *Seuls les renards là-bas*
> *L'ont entendue.*
> *Il a frappé l'eau bleue de son aile brisée*
> *Quand ses frères sont si haut, si haut, si haut,*
>   *[oh! o-o-o.*

Il pensa à quelque immémoriale complainte de trouvère capable de voler au-dessus du temps, à ces chansons sans âge que véhicule la tradition orale.

Et comme il répétait:

Même le sable de l'île qui lui était si doux
Maintenant lui fait mal, fait mal, fait mal,
[oh! o-o-o.

il fut ramené à sa situation d'homme malade, assis, seul, dans le salon de sa maison, au cœur de l'hiver.

Le lendemain, il s'habilla chaudement et partit pour une longue promenade sur ce chemin qu'il appelait maintenant le chemin du malheur. Le soleil mêlait du feu aux flaques d'eau qui brillaient sur l'asphalte. Il marcha jusqu'au quai pour voir de près un amoncellement de blocs de glace accumulés sur le musoir par la débâcle. Sur les hautes eaux grises du fleuve glissaient à vive allure des îles blanches qui parfois se déchiraient en heurtant le quai. Des îles blanches où par moments se posait une corneille. Des îles blanches chassées vers la mer, comme rejetées par le fleuve essayant de vomir hors de lui les restes de l'interminable maladie de l'hiver.

Il resta là longtemps à regarder filer les glaces, malgré sa fatigue et une sensation de vertige. Sur le chemin du retour, il passa tout près de l'emplacement de l'ancien bois où, vingt-huit ans plus tôt, il avait installé sa tente. Ancien bois car il ne restait plus rien de ce site magnifique. On avait rasé presque tous les arbres pour ériger des maisons. L'homme, vêtu de sa canadienne et coiffé de son casque à oreilles, respirait difficilement, son haleine formant de petites nuées de buée devant sa bouche. Le soir tombait. Il devait rentrer. Et c'est toute sa jeunesse soudain qu'il sentit s'échapper à jamais loin de lui.

*
*   *

En mai, Guy Beauchemin dut admettre qu'il avait de plus en plus de difficulté à écrire, à bien tenir dans sa main des ustensiles et surtout que sa conversation, par moments, manquait de cohérence. Souvent, il entremêlait à des phrases lucides des propos aberrants. Pour l'instant, l'évocation du passé demeurait à l'abri de cette menace, mais lorsqu'il parlait des choses du présent, ses paroles s'égaraient dans des directions imprévisibles. Il s'efforçait d'en rire, face à sa femme, à ses enfants, aux amis venus le visiter, mais rien, au fond, ne pouvait davantage l'humilier.

Un matin, assis sur sa berceuse, près de la fenêtre de la cuisine, il constata avec horreur que sa main ne parvenait plus à écrire. Sur une tablette placée sur ses genoux, il ne réussissait qu'à tracer des lignes maladroites qui prenaient l'allure d'étranges signes. Soudain, on frappa à la porte. Sa femme alla ouvrir. «Qui êtes-vous?» demanda-t-elle. C'était un garçon d'une quinzaine d'années que l'homme reconnut immédiatement. Les cheveux longs, chaussé de souliers de tennis, vêtu d'un jean et d'un blouson brun, serrant sous le bras un cahier de poèmes auquel était agrafée une plume-fontaine: c'était Amandelnoui, le jeune homme qu'il avait lui-même été à l'âge de quinze ans.

L'homme, maintenant, n'arrivait plus à marcher qu'en s'aidant d'une canne, mais il n'hésita pas à suivre l'adolescent, s'étonnant même d'y parvenir d'une façon remarquablement alerte. Tout à la joie de leurs retrouvailles, ils se lancèrent dans une conversation animée, et plus ils avançaient sur le chemin du malheur, plus l'homme sentit qu'il se fondait avec le jeune garçon: un bras d'abord puis une jambe puis tout le corps. Si bien qu'au bout de quelques instants, il était devenu Amandelnoui et qu'il se mit à courir sur la route enneigée. Puis ce fut l'été et il se retrouva couché dans le chalet de ses parents.

Lorsque tous furent endormis, il sortit précautionneusement par la fenêtre de sa chambre et s'en alla vaguer sur la grève. Funambulesque, il sauta à pieds joints par-dessus les chaloupes déhalées sur le sable. Il contempla la lueur verte du phare réfractée en milliers de particules sur les vagues, et ce spectacle le plongea dans une sorte d'hypnose. Il but des yeux cette lueur verte, s'en saoula l'âme, tituba sur la plage, ivre de lueur verte. Il courut, déployant ses bras grands ouverts tel un oiseau qui bat des ailes. Il s'était pris d'un vif intérêt pour l'écriture, rédigeant chaque jour son journal intime et composant des sortes de poèmes. Il marcha jusque sur le quai, colla un bout de chandelle sur une bitte, ouvrit le cahier qu'il portait sous son bras et écrivit:

Dans le temple du silence
je veux épouser la nuit.

Il se disait l'amant de la nuit et s'inventa un nouveau nom. Prenant un peu d'eau du fleuve dans sa main, il la versa sur sa tête et se baptisa du nom bizarre d'Amandelnoui, nom duquel il signa désormais ses poèmes: «Amant de la nuit» qu'il avait transformé en «Amandelnoui», pour le plaisir de conférer à son nom des sonorités insolites.

C'était là, sur le quai, qu'un de ses amis parfois venait le rejoindre. Lui aussi s'évadait du chalet de ses parents, écrivait des poèmes et s'était baptisé du nom de Lunafol. Les deux jeunes vouaient un culte à la lune et, lorsqu'elle était dans son plein, ils tombaient à genoux sur la plage, courbaient le front jusqu'au sol, improvisaient des incantations qui les faisaient pouffer de rire.

Pour affirmer leur nouvelle identité, ils entreprirent d'inventer un langage dont ils posséderaient seuls la clé et ils se promirent de ne plus jamais écrire dans une autre langue que celle-là. Ils assurèrent d'abord les assises de cette langue en composant une grammaire et en consignant dans un cahier les hiéroglyphes qu'ils se proposaient désormais d'utiliser.

Ils en arrivèrent ainsi à rédiger leurs poèmes dans cette langue codée et leurs textes prirent la forme d'étonnants cryptogrammes.

Son nouveau nom d'Amandelnoui, Guy l'écrivit ainsi:

Puis les deux jeunes gens entreprirent de s'élever au-dessus du monde médiocre des adultes endormis dans leurs maisons, au-dessus même de la matière. Pour tenter de réaliser cet idéal, ils se mirent à monter sur les plus hauts édifices de Nicolet et, au risque de se rompre les os, à se balader, la nuit, sur les toits.

Guy habitait dans une grande maison. À quatre très hauts pignons. L'adolescent sortait silencieusement par une fenêtre et grimpait à quatre pattes jusqu'au faîte du toit où il s'assoyait pour contempler les étoiles. Il se croyait là bien loin au-dessus de la réalité. Une ambition d'ailleurs prenait naissance en son esprit, celle de voir par-dessus le mur de la nuit, de monter sur un tel sommet qu'il pourrait de là voir par-dessus le mur du mystère. Par-dessus l'inconnu.

La cime de la maison familiale ne lui suffit pas longtemps. En compagnie de Lunafol, bientôt il s'enhardit à gravir les barreaux d'une échelle de métal conduisant sur le faîtage de la cathédrale où, progressant à califourchon, les deux jeunes s'aventurèrent jusqu'aux énormes clochers dominant la rivière et toute la campagne environnante. Une nuit, ils se hasardèrent sur les toits d'un couvent, désireux d'atteindre l'étrange clocher bulbeux qui coiffe une lanterne ajourée et confère à l'édifice l'allure d'une église russe. Mais sœur Luce du Crucifix poussa un cri de frayeur: «J'ai vu une âme du purgatoire, là-haut, sur le rebord de la toiture!» Les autorités furent alertées par la visionnaire, et les adolescents, à leur retour sur le sol, tombèrent entre les mains du policier Marcheterre.

Le policier Marcheterre était un costaud, redouté de tous les durs à cuire de la région. Un fort en gueule aussi dont la voix tonitruante terrifiait autant que la dimension de ses muscles. «Maudites têtes folles, lança-t-il, en roulant vers le poste, maudits écornifleux qui veulent faire peur aux sœurs, maudits voleurs!» Et les deux poètes en herbe restèrent sidérés de se faire accuser de voyeurisme alors qu'ils se considéraient comme des voyants.

«Qu'est-ce que vous alliez faire sur les couvertures, petits verrats?» hurla Marcheterre en les bousculant. Comment pouvaient-ils expliquer qu'ils s'étaient aventurés sur la frontière de la matière et de l'idéal, qu'ils tentaient de marcher sur le toit du réel? Et eux qui s'étaient crus presque libérés des lois de la pesanteur, eux qui, sans ailes, s'exerçaient en vue de marcher un jour sur l'air, eux les piétons de l'azur, furent brutalement jetés au cachot municipal d'où, Icares écroués, ils durent attendre, suprême humiliation, que le père d'Amandelnoui vienne les chercher.

Mais avant de quitter la geôle, Amandelnoui tint à signaler à ce Marcheterre qu'il n'appartenait pas au même monde que lui et, sur le mur, il écrivit avec sa plume, de sa plus belle main:

Au moment où son père l'emmenait hors de la cellule, Guy Beauchemin se retrouva assis sur sa berceuse, près de la fenêtre de la cuisine, les yeux mouillés de désarroi, en train de tracer des lignes maladroites sur une tablette de papier à correspondance placée sur ses genoux.

*

*   *

Les jours suivants, l'homme s'entêta à reprendre ses promenades même s'il lui devenait de plus en plus difficile de marcher.

Sa femme devait maintenant l'accompagner en lui tenant le bras et en le guidant. Ils avançaient lentement, s'arrêtant pour contempler les cônes de fleurs blanches des arbustes de sureau, les pommetiers jaillissant de la terre comme des geysers de parfum, les tulipes ouvrant leurs lèvres rouges.

Mais l'homme avait peine à se tenir debout. Lui qui, en son adolescence, si fier de son absence de vertige, grimpait périlleusement sur la couverture des plus hauts édifices de Nicolet, se croyait maintenant sur le faîtage du réel et de chaque côté de lui des pentes de tôle luisaient où le moindre faux pas pouvait le faire glisser à jamais dans le vide.

Le six juin, il faisait si beau et si chaud que sa femme l'emmena, en auto, jusqu'à la plage de Port-Saint-François.

Elle l'aida du mieux qu'elle put et ils firent, soudés l'un à l'autre, quelques pas sur le sable.

Des goélands nombreux, posés sur la lisière de l'eau, dessinaient comme une écume de plumes. «Je ne sais plus où est ma maison, dit l'homme, je ne sais plus dans quelle direction m'orienter, mais je me souviens des petits avions que je fabriquais, lorsque j'étais enfant, avec des bouts de joncs séchés.» À cette évocation, sa figure ravagée par la maladie s'éclaira. Il se revoyait courir pieds nus sur la grève, tout bronzé, tel un petit sauvage, pareil à ces pluviers aux pattes véloces qui suivent le flux et le reflux des vagues.

Il revoyait l'eau translucide du bord où foisonnaient des bancs de ménés. Il revoyait les perchaudes aux nageoires orange frétillant au bout de sa ligne. Et soudain, les mots de sa plus belle chanson, composée à dix-huit ans, remontant du lointain de son passé, lui revinrent à la mémoire:

> *Qu'y a-t-il de plus triste*
> *Qu'un goéland blessé?*
> *Qu'y a-t-il de plus triste*
> *Qu'une aile brisée?*

Ce goéland, c'était bien lui, vacillant sur ses jambes, ne parvenant plus guère qu'à se traîner lamentablement sur cette plage que, depuis son enfance, il avait tant aimée, disant un ultime adieu à ce paysage magnifique où il agonisait tel un oiseau blessé.

Après cette sortie, qui fut sa dernière, l'état de l'homme se détériora rapidement. Il fut assailli par de grandes angoisses, ne sachant plus, pendant des heures, s'il était mort ou vivant. La terreur s'emparait de lui lorsqu'il ne reconnaissait plus les meubles du salon. «Où sommes-nous en ce moment? Qu'est-ce qui se passe en ce moment? Comment fait-on pour savoir qu'on est mort?»

«Faut que tu me sauves, répétait-il à sa femme, suppliant, faut que tu me sauves. Prends l'auto, emmène-moi au bout du quai et sautons ensemble dans le fleuve.»

Bientôt il ne fut plus capable de se maintenir en position assise. On installa dans le salon un lit d'hôpital où il passa ses journées couché. De là, il surveillait les déplacements de sa femme. Lorsqu'elle s'absentait, il sombrait dans le désespoir, la croyant disparue à jamais ou se croyant mort avec la certitude de ne plus jamais la revoir. Aussi, dès qu'elle revenait au salon, un sourire extraordinaire illuminait le visage de l'homme, un sourire de béatitude. Elle pouvait s'absenter et revenir vingt fois et à chaque retour il s'émerveillait comme s'il la voyait pour la première fois.

Le treize juillet, Guy Beauchemin ne s'éveilla pas vraiment. Il passa tout l'après-midi dans un état d'inconscience. Si immobile qu'on se demandait parfois s'il respirait encore. Sachant sa dernière heure arrivée, sa femme, ses enfants et quelques amis se rassemblèrent autour de son lit.

Mais voici qu'on heurta doucement à la porte. Si doucement que personne n'entendit. Sauf Guy Beauchemin. Un enfant, pieds nus, en maillot de bain, tenant une petite pelle et un seau de plastique rouge, pénétra dans la maison et s'avança jusqu'au chevet du moribond. Guy Beauchemin ouvrit les yeux, l'aperçut, un sourire anima son visage car il se reconnut tel qu'il avait été à l'âge de huit ans. Il se mit debout avec beaucoup de lenteur, parvint à surmonter son vertige, jeta un coup d'œil sur les personnes rassemblées autour du lit sur lequel un double de lui-même entrait en agonie, puis il marcha jusqu'à la porte et sortit dans le grand soleil de cette journée qui était l'une des plus splendides de l'été. L'enfant le prit par la main et l'entraîna sur le chemin du malheur. Ils marchèrent côte à côte, jusqu'à Port-Saint-François, l'enfant pieds nus, la peau dorée par la lumière, l'homme vêtu d'un pyjama rayé, les traits émaciés par la souffrance.

Une fois sur la plage toutefois, il se sentit libéré de toute fatigue et retrouva avec bonheur l'énergie de sa jeunesse. *L'Empress of France*, énorme paquebot blanc coiffé de deux cheminées, glissait en silence au large, sa proue fendant les flots, ornée d'une haute moustache d'écume. Il creusait derrière lui un tel abîme que l'eau, agitée de remous, se retira du bord en un grand gargouillis de sable et de cailloux, puis il repoussa vers le rivage des houles gigantesques vers lesquelles l'homme et l'enfant s'avancèrent. Ils faillirent perdre pied sous la pression des vagues mais ils plongèrent dans les flots en criant de plaisir. Toute cette eau déplacée, allant frapper le quai, rebondit sur ce mur, forma une nouvelle houle et revint balayer la plage, ébouriffée d'algues, pareille à quelque monstre marin tout empêtré dans sa chevelure sauvage et verte. L'homme et l'enfant, se tenant par la main, se laissèrent porter sur la crête de la vague qui les déposa sur la rive dans un bouillonnement d'écume.

Il faisait chaud. Leurs figures mouillées luisaient au soleil. Le pyjama de l'homme collait à son corps, mais il ne s'en souciait nullement, tout à la sensation de régénération que lui procurait le fait d'avoir été lavé des souillures de la maladie et des misères du temps. Ils s'assirent côte à côte, un peu en retrait de l'eau redevenue calme, et entreprirent de construire un château de sable. Tout autour, ils creusèrent des douves dans lesquelles vinrent nager des petits ménés au ventre argenté. Ils ornèrent les créneaux de valves roses de coquilles d'huîtres. En guise de mât, ils plantèrent sur le toit une longue plume blanche. Insouciants de la marée et des vagues qui viendraient bientôt détruire leur château, ils en lissaient les parois avec leurs paumes, tandis qu'au-dessus d'eux planait intemporel un goéland à qui deux rais de lumière tenaient lieu d'ailes.

L'ENFANCE EST UNE ÎLE

Chaque hiver, au plus blanc de janvier, je suis envahi par une insoutenable nostalgie du Sud. Je regarde, devant ma maison, située tout au bord du Saint-Laurent, la neige qui s'étale à perte de vue sur le fleuve gelé, et ce sont les sables blancs d'une île lointaine que je vois. S'il ne s'agissait que du soleil, de la mer, des oiseaux, des fleurs, un simple billet d'avion pourrait me permettre de les retrouver. Au terme de quelques heures de vol, j'atterrirais parmi les palmiers, et mon mal disparaîtrait. Mais je parle ici d'une sorte de Sud de l'âme, d'un Sud perdu, d'un Paradis auquel aucune agence de voyages – à moins de me faire prendre place à bord d'un avion qui remonte le temps – ne peut me proposer d'accéder.

Je suis né à Trois-Rivières, en 1940, et les premières années de ma vie se sont écoulées dans cette ville. Mon père était agent immobilier. Mais c'était aussi un artiste. Il avait appris très jeune le violon et il possédait des dons exceptionnels pour cet instrument qui, dans les mouvements lents, chantait sur son bras comme une source coulant dans l'espace; et parfois il semblait crépiter sous ses doigts, si bien qu'avec mes yeux d'enfant, ce n'était pas un violon que je le voyais tenir de son bras gauche mais un petit soleil.

Mon père était une sorte de tzigane; un être insatisfait, toujours hanté par le désir de se remettre au monde. Il s'était marié à trente ans. Il en avait à peine quarante lorsqu'il décida d'aller vivre en Floride. Bien qu'il aimât beaucoup Hélène, ma mère, il s'était épris d'une Trifluvienne de trente-deux ans, Isabelle B., et c'est avec elle qu'il voulut commencer une nouvelle existence dans le Sud. J'avais un frère et une sœur, mais c'est moi seul que mon père, sans doute parce qu'il se retrouvait davantage en moi, choisit d'emmener avec lui. J'avais terminé ma première année, mais ma situation scolaire ne l'arrêta pas, et c'est ainsi qu'à sept ans, je partis avec Isabelle et lui, dans sa Buick rouge, pour un monde inconnu.

Certes j'étais bouleversé à l'idée de m'éloigner ainsi de ma mère, si belle, si douce, de ma sœur et de mon frère, mais c'est néanmoins avec enthousiasme que je m'engageai dans cette aventure qui, pour moi, au départ, ne devait durer que quelques mois.

Jamais je n'oublierai le voyage qui nous conduisit, à l'automne de 1947, jusqu'aux premiers palmiers de la Floride. Nous errâmes longtemps le long de l'Atlantique puis mon père décida de se rendre sur les bords du golfe du Mexique et c'est là, à une centaine de kilomètres en bas de Tampa, qu'il s'installa, sur une île magnifique appelée Anna Maria, une île aux plages de sable blanc.

Il loua une grande maison en bois peint en vert, sur Sunflower Street, rue non pavée, bordée de palmiers, conduisant à la mer. À l'orée de la cour, un bougainvillier jaillissait en fontaine magenta. Et je me souviens qu'au coin de la galerie, à certaines époques de l'année, des oiseaux de paradis hissaient leurs cous hors de leurs ailes de feuilles, dressant vers le ciel leurs becs violets et leurs têtes crêtées de flammes.

Mon père ouvrit une agence à Bradenton, ville située à une vingtaine de kilomètres de l'île. Moi, je consacrai les premiers mois à apprendre l'anglais, après quoi je suivis les cours de la petite école d'Anna Maria. C'était un endroit charmant: par les fenêtres, on voyait la surface bleue d'un canal. À Anna Maria, en effet, on aperçoit toujours de l'eau, car les rues aux noms de fleurs débouchent soit sur la plage, soit sur des canaux où sont amarrés des voiliers et des yachts de plaisance. Le premier automne et le premier hiver que je passai à cet endroit furent un émerveillement. Éternel été où ni les fleurs ni les oiseaux n'étaient chassés par le froid, et où je me retrouvais constamment en train de jouer dans le sable et de plonger dans la mer.

Mon père, excellent nageur, m'apprit très tôt à me sentir parfaitement à l'aise dans l'eau; je prétendais même parfois y être plus à l'aise que sur terre.

Les chansons des vagues n'étaient pas les seules à m'envoûter, car notre maison de la rue Sunflower était toujours remplie de musique.

Mon père adorait les grands concertos de violon, mais il aimait aussi l'opérette viennoise et souvent il faisait tourner sur le phonographe des disques d'extraits de *La veuve joyeuse*, de *La princesse Csardas*. En outre, mon père, accompagné parfois au piano par une voisine, jouait les plus beaux airs de ces œuvres sur son instrument, et mes plus émouvants souvenirs vont à ces crépuscules chauds où, sous les palmiers, devant quelques personnes et plusieurs enfants assis sur le sable de la plage, il interprétait avec fougue la *Fantaisie sur des thèmes de Carmen* ou le *Zapateado de Pablo* de Sarasate. Il jouait tant que le soleil n'avait pas disparu sous la mer.

Isabelle prenait place près de moi, discrète, toujours un peu perdue dans ses rêves. Elle aussi était une artiste. Elle s'adonnait à la peinture, mais sa vie était peut-être la plus séduisante de ses œuvres, car elle veillait à ce que chaque instant soit comme la touche subtile d'un peintre sur son tableau. Avec une douceur qui contrastait avec le caractère flamboyant de mon père, elle consacrait son existence à créer de la beauté.

C'était une femme ravissante dont la figure ronde, souriant au centre de sa longue chevelure noire, évoquait la présence de la lune. Elle cuisinait avec bonheur. Sur une table parfois recouverte de feuilles de vigne de mer, elle nous servait des œufs colorés, des rougets farcis, des tartes aux pommes ornées d'oiseaux, de cœurs, de petits violons moulés dans la pâte.

Elle disposait dans la maison des fleurs d'hibiscus et en portait souvent une piquée dans ses cheveux. Elle se vêtait de robes imprimées de fleurs qui lui donnaient l'allure d'une princesse. Je me souviens de matins radieux où, vêtue d'une longue robe bleue au col de dentelle, elle courait pieds nus dans l'herbe en poussant des exclamations de plaisir, vague sortie de la mer pour venir folâtrer dans le jardin. Elle donnait à manger aux paons qui, à Anna Maria, étaient si peu farouches qu'ils se promenaient en liberté, par petites bandes, sautaient sur les toits, se perchaient pour la nuit sur les branches des arbres. Je la revois, à croupetons, entourée par les somptueux oiseaux, leur dispensant des morceaux de pain. Un mâle, parfois, s'approchant d'elle, la tête couronnée d'une aigrette, érigeait l'arc-en-ciel de sa queue, haut bouquet de plumes fleuri d'yeux.

Elle collectionnait les coquillages. Nous allions nous promener sur les plages où le reflux de chaque vague découvrait des milliers de coquinas, petits joyaux vivants, de toutes les couleurs, qui s'enfouissaient dans le sable pour échapper au bec des bécasseaux courant par bandes dans l'écume. La houle les dispersait, une fois morts, valves ouvertes, et la grève semblait jonchée de papillons. Isabelle, les collant autour d'un fil, s'en confectionnait des bracelets et des colliers.

On faisait les plus remarquables trouvailles du côté de l'île où poussaient les palétuviers: oursins, olives à la nacre luisante, buzycons assez gros pour servir de pots de fleurs, conques couronnées.

On marchait lentement, avec de l'eau jusqu'à la ceinture, un peu aveuglés par le miroitement vert de la surface, observant le fond, tout le torse, les bras, la figure lustrés par l'or de la lumière. Un hippocampe parfois rapprochait de nos cuisses sa chevauchée gracieuse. Et parfois c'étaient deux limules, crabes aux allures préhistoriques, en train de s'accoupler, le mâle fixé au dos de la femelle, se laissant emporter par elle.

Cette zone était le royaume des étoiles de mer. On en trouvait diverses variétés: celles dites à mille pieds, qui ressemblent à des soleils sous-marins, des petites rousses, des grandes couleur de maïs. Certains jours, Isabelle fixait à la pointe de ses deux tresses des petits hippocampes séchés, et cette parure lui conférait l'allure d'une sorte de déesse de la mer.

Je la revois aussi distribuant des miettes de pain aux mouettes rieuses. Dès qu'ils la voyaient arriver avec son sac rempli de morceaux de croûtes, les oiseaux à poitrine blanche et à tête noire, surgissant de partout, s'assemblaient autour d'elle. Excités, ils se posaient à ses pieds, remontaient dans le ciel, voletaient autour de sa tête. Ils se chamaillaient pour la moindre parcelle, faisaient du sur-place, à la manière des hélicoptères, tout près de ses épaules, venaient happer le pain presque dans sa main, poussant l'effronterie jusqu'à lui pincer les doigts du bout de leur bec rouge. Elle avait l'air, par moments, couverte d'ailes, d'une sorte d'elfe apparu là pour le pur plaisir d'éblouir, ou plus exactement d'un génie de l'air brillant en toute innocence, inconscient de sa beauté.

Mon père comparait souvent Isabelle à un violon. À cause de sa peau hâlée qui avait le lustre d'un corps de résonance. À cause du galbe des hanches. Mais surtout, précisait-il en l'embrassant, à cause de la musique d'amour contenue dans cette chair qui n'attendait que le coup d'archet d'une caresse pour se mettre à vibrer. S'il existe un Dieu, affirmait-il, c'est en tout dernier qu'il a créé le corps de la femme. Pour réussir ce chef-d'œuvre, il s'est d'abord fait la main en modelant les étoiles, la mer, les fleurs, les oiseaux. L'univers entier n'est là que pour témoigner des tâtonnements de son génie, monceau d'esquisses, de brouillons, avant d'arriver à cette forme parfaite qu'est la beauté de la femme.

Isabelle avait disposé dans la maison quelques reproductions de Chagall, m'invitant à prendre toutes libertés avec les images du réel captées par mes yeux. En sorte que je trouvais tout naturel de voir s'envoler un homme lorsqu'il embrassait sa fiancée et de découvrir deux amoureux s'enlaçant à l'intérieur d'un bouquet de fleurs.

Et souvent nous nous rendions au Ringling Museum of Art, situé à Sarasota, à moins d'une heure d'auto d'Anna Maria.

En 1925, John Ringling, l'un des magnats du cirque, s'était fait construire, tout au bord de la baie de Sarasota, un château de soixante-dix mètres de façade se mirant dans l'eau. Ce fastueux édifice, qui ressemble au palais des Doges de Venise, est recouvert de stuc rose pâle et orné de fenêtres à remplage de style gothique. Dans le parc de palmiers et de banians entourant sa demeure, John Ringling avait fait ériger un musée imitant une villa princière italienne du XVe siècle. L'endroit est d'une grande beauté, avec ses trois longues galeries aux colonnes roses délimitant un jardin rempli de fleurs et de copies des plus célèbres sculptures et fontaines de la Renaissance. John Ringling rassembla dans ce musée plus de cinq cents tableaux d'artistes de l'époque baroque. C'est dans ce morceau d'Italie transporté sous le ciel bleu de Floride qu'Isabelle m'emmenait passer d'inoubliables journées.

Elle me racontait l'histoire des dieux et déesses représentés par les sculptures baignées de soleil, éveillant en moi un goût pour la mythologie qui n'a jamais cessé de faire mon enchantement. Une fois, vêtue d'une longue robe bleue, comme elle se tenait tout près du tableau de Carlo Dolci intitulé *Madone bleue*, j'eus la certitude qu'échappant au quotidien, dédoublant la Madone, elle venait de sortir, intemporelle, du cadre de bois doré. Et par la suite, je pris plaisir à la voir entrer dans les vastes peintures de Rubens et de Véronèse où elle se promenait parmi des rois aux capes rouges, devisait aimablement avec des anges musiciens ou s'assoyait près d'un âne pour donner le sein à l'enfant Jésus. Parfois, sortant des tableaux, de fougueux chevaux venaient parader sur les tapis du musée, et des femmes portant des corbeilles de fruits me prenaient par la main, m'emmenaient gentiment à l'intérieur de paysages peints par Ferrari, Cortona ou Tintoret où j'écoutais jouer sur des cithares d'or des anges aux ailes colorées comme celles des papillons.

Isabelle, sans dire un mot, me communiquant le plus naturellement son amour de la beauté, m'apprit à faire fi de la frontière séparant l'art de la vie.

En juin de chaque année, mon père me mettait sur l'avion à Tampa, et je revenais pour l'été retrouver ma mère, ma sœur et mon frère, à Port-Saint-François où ma mère louait un chalet.

À l'époque, Port-Saint-François n'avait pas son allure actuelle de village et la distance de huit kilomètres le séparant de Nicolet paraissait beaucoup plus considérable à cause du petit chemin de terre filant à travers champs et bois. Peu de gens estivaient à cet endroit. Sans eau, sans électricité, les quelques chalets qu'on y avait construits conservaient un cachet sauvage, tout enfouis parmi les arbres. Camouflés même derrière les peupliers aux racines souvent déchaussées par les hautes eaux printanières, se rassurant, s'agrippant à ces gros bras noueux pour ne pas être arrachés par la furie des débâcles. Ces chalets, debout sur leurs poteaux plantés dans le sable, ne se dépouillaient jamais complètement d'un petit air apeuré car, chaque année, en avril, ils redoutaient de se faire broyer par les assauts des glaces et parfois certains d'entre eux, soulevés par les banquises ruisselantes, se faisaient emporter au large. C'étaient des constructions craintives, comme tissées avec des planches, et ressemblant aux nids fragiles de la sauvagine. Mais l'été, bien au sec, elles reprenaient courage, tout égayées par les rires des enfants.

Je passais tout l'été sur cette plage, au bord du Saint-Laurent, à me faire bronzer par le soleil, à courir pieds nus dans les vagues, à nager.

À la mi-juillet, mon père, remontant de Floride en automobile avec Isabelle, venait séjourner deux semaines dans un chalet peu éloigné de celui de ma mère. Ses relations avec celle-ci, bien qu'entachées de mélancolie, semblaient dépourvues de tension. Ces deux êtres qui s'aimaient sans pouvoir vivre ensemble connaissaient encore de bons moments. Ma mère était une très belle femme aux longs cheveux noirs qu'elle relevait habituellement en chignon. Discrète, contrôlant ses émotions, elle portait des lunettes qui lui donnaient un petit air intellectuel. Qui lui convenait bien d'ailleurs puisqu'elle consacrait une large partie de son temps à la lecture. Je la revois assise sur une chaise longue, à l'ombre des arbres, plongée dans ses romans de Balzac et dans ses recueils de poèmes. Bonne musicienne, elle faisait transporter au chalet un piano. Mon père et elle occupaient leurs soirées à jouer des sonates de Mozart. Je me souviens avec beaucoup d'émotion de certaines veillées très chaudes où nous, les enfants, assis sur le sable – car le piano, placé près d'une fenêtre, s'entendait du dehors –, nous écoutions mes parents interpréter la *Méditation de Thaïs* de Massenet, la *Romance* de Dvorak, les *Romances* de Beethoven.

De toutes les pièces jouées par mon père, celle dont le titre me séduisait le plus était *Sur les ailes de la musique* de Mendelssohn car, disait mon père en me montrant les pélicans planant au-dessus de la mer ou les goélands au-dessus du fleuve, la musique est un vaste oiseau. Couche-toi sur son dos, parmi les plumes, et laisse-toi soulever tout autour de la Terre, tout autour de la Lune, du Soleil. Sur les ailes de la musique, on peut aller partout. On peut remonter le temps jusque dans notre enfance, on peut même aller plus loin, dans le passé, retrouver nos ancêtres, vivre côte à côte avec les grands musiciens. On peut aller dans le futur, parmi les humains qui nous remplaceront. On peut pénétrer à l'intérieur des personnes qu'on aime, atteindre leur cœur comme une île et s'y poser. L'oiseau de la musique ne connaît pas de limite, ni de temps ni d'espace. Il suffit de s'allonger sur son dos, parmi les plumes, et de se laisser emporter.

Pendant toute mon enfance, j'ai rêvé de devenir un grand violoniste. Mais mon père, peu doué pour la pédagogie, n'entreprit jamais sérieusement de me donner des leçons. Et puis, j'admirais trop ses qualités d'artiste pour tenter de rivaliser avec lui.

Face à ma mère que j'adorais, je me sentais coupable de vivre ailleurs avec une autre qu'elle. Aussi je lui cueillais d'énormes bouquets de fleurs sauvages, je l'embrassais souvent, je m'assoyais près d'elle avec mes livres d'enfant, m'absorbant comme elle dans ma lecture afin de la suivre dans ce monde de papier où je sentais très bien qu'elle échappait à mon père et à moi-même. Elle était mon idole mais pourtant, imitant sans doute mon père, je ne pouvais résister à l'appel du Sud et, en septembre, je reprenais l'avion et retournais à Anna Maria.

La pointe de l'île, qui s'avance dans le golfe du Mexique, était à cette époque un véritable paradis. Je m'y rendais souvent à bicyclette, traversais une étendue de roseaux et me promenais sur le sable blanc léché par les longues vagues turquoise. J'y vivais parmi les mouettes rieuses, les pélicans, les becs-en-ciseaux, si intrigants avec cette façon qu'ils ont de pêcher leur nourriture en coupant la surface de la mer avec leur mandibule inférieure, j'y recueillais de magnifiques coquillages, je regardais les dauphins émerger de l'eau scintillante. Et c'est là qu'à onze ans, je surpris mon père allongé avec une jeune femme blonde dans une clairière de sable chaud. Elle avait vingt-six ans, s'appelait Sandy, était infirmière à Bradenton. Le visage très fin, les pommettes saillantes, elle avait un corps superbe et très bronzé. J'appris à la connaître et je l'aimai beaucoup car c'était une nature rieuse, très vivante, raffolant de jouer avec moi, de courir, de nager. Contrairement à Isabelle, elle se sentait bien dans la réalité: adoratrice du soleil, sportive, mon père l'avait connue en jouant au tennis. Mon père à cette époque était un homme vigoureux, très hâlé, et je le trouvais magnifique lorsqu'il nageait, luisant d'écume, avec Sandy, la soulevait dans ses bras, l'étreignait comme une sirène aux cheveux de lumière capturée dans la mer.

Isabelle dut beaucoup souffrir de cette liaison mais, curieusement, elle s'y adapta. Sandy vint habiter dans un chalet à quelques rues de notre maison. Aussi étrange que cela puisse paraître, je garde de cette période un souvenir de bonheur. Il faut dire que j'étais gâté par deux mères. Isabelle continuait de m'envelopper de douceur et de songe; Sandy, elle, était un oiseau. Elle chantait souvent *Somewhere Over the Rainbow* et d'autres jolies chansons. Elle n'était pas intellectuelle comme ma mère mais elle adorait l'opéra. Contrairement à Isabelle qui préférait le bleu, elle aimait se vêtir de rouge.

Mon père avait la passion de la pêche. À bord de son petit bateau, il se rendait souvent loin sur la mer et ramenait des rougets, des dorés. Mais parfois, il préférait pêcher sur les longs quais de l'île. Il s'assoyait sur un banc de bois, en plein soleil, et les reflets du matin sur les vaguelettes, s'infiltrant peu à peu par ses yeux, finissaient par remplir son corps de lumière, lui procurant un apaisement auquel contribuait la présence de quelques pélicans à tête jaune et d'un grand héron bleu, apprivoisé, se tenant à ses côtés comme des amis à qui il jetait des crevettes ou de menus poissons.

Pour ma part, j'adorais capturer des appâts. Je me rendais sur la plage pour y déterrer des puces de mer dont la carapace argentée se confondait avec les bulles de l'écume. Du côté de l'île où poussaient les palétuviers, je m'avançais dans l'eau jusqu'aux cuisses pour dégager des palourdes portant le beau nom de Vénus-rayons-de-soleil dont le mollusque, découpé en morceaux, servait de leurres. Au crépuscule, sur ce même côté de l'île, plus sauvage, un peu marécageux, j'arpentais la grève, muni d'une pelle, en quête de crabes violoneux, ainsi nommés à cause de leur unique pince qu'ils portent comme un violon; à l'approche de mes pas, ils s'enfouissaient vivement dans leurs trous, mais ils se révélaient, lorsque je parvenais à les capturer, de véritables bijoux tant le couchant semblait avoir imprimé sur leur cuirasse toutes ses fulgurantes couleurs.

«Laisser descendre une ligne dans les profondeurs marines, me confia un jour mon père, c'est peut-être moins l'attente d'un poisson que l'attente de l'inconnu, du merveilleux, car tout peut venir de l'eau. C'est de l'eau qu'est sortie la vie, et cette fascination qui rive les pêcheurs à leur embarcation ou au banc d'un quai pendant des heures s'explique probablement par la curiosité qu'ils éprouvent à aller fouiller dans les entrailles de la mer, espérant y découvrir une certaine forme de régénération, en remonter du jamais vu, du jamais né, comme s'ils pouvaient amener au jour, hors de ce grand ventre, une créature neuve leur procurant la sensation de se remettre au monde.»

Un jour, me promenant avec Sandy, je vis une aigrette planant au-dessus de la surface d'un canal. Son reflet se dessinait si bien sur l'eau qu'on eût dit deux aigrettes se touchant du bout de l'aile. «Regarde, me dit Sandy, quand le soleil est au zénith, il se mire si bien lui aussi dans les flots qu'il y crée un deuxième soleil. Anna Maria, ce n'est peut-être pas une île, mais l'image du soleil sur la mer. Nous habitons peut-être sur l'image du soleil.» À partir de ce moment, il me plut de croire que j'avais vécu sur le soleil dans une existence antérieure et que j'y vivais encore un peu sur cette île.

Et je rêvai de m'établir plus tard dans une île. Je n'y suis pas vraiment parvenu mais ma maison est construite en bordure du fleuve, sur une éminence que les hautes eaux du printemps entourent, à l'occasion, d'un bel anneau bleu, ce qui me procure l'illusion charmante d'être, pendant quelques semaines, un insulaire.

Au crépuscule, parfois, mon père sortait son violon et, sous les palmiers, il interprétait pour nous *Liebesfreud* de Kreisler et l'*Air tzigane* de Pablo de Sarasate. Dans une pièce comme celle-là, il se surpassait, passant le plus spontanément du monde de la plus poignante nostalgie aux rythmes de danse les plus fougueux. Il jouait si bien qu'on en oubliait sa présence pour ne plus entendre que le violon le plus intime et le plus bouleversant de notre cœur.

Pendant mon enfance, j'ai donc vécu dans deux mondes: celui d'Anna Maria et celui de Port-Saint-François. Lorsque je laissais l'un pour l'autre, j'avais l'impression de quitter le réel pour entrer dans un rêve. Si bien que rêve et réalité finirent par se confondre en un même tout. Et vivant avec trois mères, à laquelle allait donc mon véritable amour?

Lorsque j'eus treize ans, mon père, éprouvant des difficultés avec ses deux compagnes, et engagé au surplus dans une autre aventure sentimentale, me ramena à Trois-Rivières pour que j'y entreprenne le cours classique. Je lui en ai beaucoup voulu de cette décision qui créa un froid d'une quinzaine d'années entre nous. Au fond, c'était un bohème et il se désista au moment où, devenant adolescent, je quittais le monde de l'enfance, au moment où j'aurais eu le plus besoin de lui. Je vécus cette expérience comme une trahison et ne fus plus jamais capable par la suite d'accorder pleinement confiance à un homme. Et moi qui jusque-là avais été d'un naturel joyeux, je devins la proie de la mélancolie.

Ayant eu le privilège d'être éduqué hors de la religion, mon contact avec les prêtres fut pénible. Le Québec était alors plongé dans la Grande Noirceur et pour moi, habitué à la liberté, la vie dans le milieu carcéral et puritain d'un collège fut un enfer. J'avais été un enfant heureux, je devins un révolté.

Au cours de cette adolescence malheureuse, tourmentée, je me plongeai dans la lecture parce que ma mère me donnait des livres. Ainsi je me rapprochai davantage d'elle. Du moins, j'essayai. Je commençai à écrire pour la séduire, pour tenter de la rejoindre dans ce monde de mots où je sentais depuis toujours qu'elle m'échappait. Car ma mère était bien plus qu'une liseuse. Ouvrir un livre, pour elle, c'était ouvrir une porte par laquelle elle pénétrait dans un autre univers, en compagnie de héros et d'héroïnes avec qui elle se sentait plus à l'aise que parmi les humains. Si mon père vivait, de son côté, avec une et même deux autres femmes, ma mère était, pour sa part, l'amante de Julien Sorel, de Rastignac, de Félix de Vandenesse et de tant d'autres. D'une certaine façon, elle avait raté sa vie car elle était faite pour être un personnage de roman, et c'était le réel qui pour elle prenait les allures d'une fiction. Aussi, en écrivant, je ne me contentai pas de disposer des phrases sur une feuille, mais, comme elle, je devins chacun des personnages que je créais, et je me mis à tourner, chaque jour, une page du livre dans lequel évoluait le roman de ma vie. Mû par la culpabilité, ayant à me faire pardonner d'avoir quelque peu délaissé ma mère pendant mon enfance, je compensai en orientant ma vie dans le sens de ses intérêts, et je devins écrivain au lieu de me diriger vers la musique, domaine de mon père.

À soixante ans, mon père revint habiter au Québec, mais il retourna chaque hiver en Floride.

J'avais trente-quatre ans lorsqu'on lui découvrit un cancer. Lui n'en avait que soixante-sept. Sur la fin, il devint passablement incohérent et il fallut l'installer au foyer. Dans une chambre minuscule où, lui qui n'avait vécu que sur les plus belles plages, il attendit, entre quatre murs blancs, la venue de la mort.

Un jour, je le fis monter péniblement dans mon automobile pour lui faire revoir les paysages qu'il aimait tant aux environs de Nicolet. On était à la mi-décembre. Il faisait un temps sinistre. Mais mon père ne vit rien de cette réalité-là. Lorsque je vins le prendre au foyer, il m'accueillit avec une figure épanouie, les traits du visage étonnamment rajeunis, car il se croyait dans sa maison de Sunflower Street, à Anna Maria. Tandis que nous roulions par les rues neigeuses, il me montrait les palmiers et les hibiscus ornant la devanture des maisons. Nous nous arrêtâmes au club nautique: au lieu de regarder la rivière, à moitié figée par le froid, charriant des glaçons, il contemplait, extasié, les pélicans, les dauphins, la mer turquoise et scintillante à l'infini. Refusant l'hiver et le temps, il mourut complètement perdu dans ce rêve solaire.

Voilà pourquoi, chaque hiver, au plus blanc de janvier, je suis envahi par une insoutenable nostalgie du Sud, un Sud perdu, un Sud qui n'existe plus que dans mon cœur. Pour le recréer, il faudrait que je remonte le temps, ou bien que je puisse pénétrer en moi-même et accéder à mon cœur comme à une île ensoleillée par les paysages de mon enfance.

Je ne peux pas, dans le réel, aller vivre sur l'île de mon cœur, mais j'ai néanmoins deux moyens de m'y rendre. J'écoute Jascha

Heifetz jouer *Sur les ailes de la musique*, je ferme les yeux et je m'allonge sur le dos d'un grand oiseau qui me conduit là où je veux. Ou j'utilise la magie de l'écriture. Tandis que sifflent au-dehors les assauts sauvages de la neige, tandis que la poudrerie enroule autour de ma maison des tentacules froids qui tentent d'étouffer ma vie, je me concentre sur ma page dont la blancheur me rappelle les sables d'Anna Maria, ma page qui devient une île. Alors je fais comme mon père mourant et, niant l'hiver et le temps, me revoici tout heureux, en plein soleil, près de la mer, sur l'île retrouvée de mon enfance.

LES FICTIFS

Jean-François Papillon était un familier du rêve. En son adolescence, il notait les plus beaux songes que lui apportait la nuit et les remaniait légèrement pour en faire des poèmes. Et c'est ainsi que Jean-François, sans trop s'en rendre compte, était devenu poète. Il avait fait paraître deux recueils, mais ces publications ne lui rapportaient pas d'argent et, pour gagner sa vie, il occupait un poste de journaliste au quotidien *L'écho des rivières*, à Trois-Rivières.

Il n'habitait pas cette ville, toutefois, et chaque jour, revenant de son travail, il franchissait le pont Laviolette, roulait pendant quelques kilomètres sur la rive sud du Saint-Laurent, et retrouvait avec joie le chalet qu'il louait à Port-Saint-François.

Cette familiarité avec le rêve, si elle favorisait en lui l'apparition de belles images, compliquait par contre singulièrement son existence, l'entraînant dans des situations cocasses. Combien de soupers aux chandelles n'avait-il pas préparés pour de charmantes personnes qui, au moment du café et du digestif, s'étaient évaporées comme des fantômes, le laissant seul à table, stupéfait, sa bouteille de prunelle de Bourgogne à la main?

Il avait fini pourtant par se faire une amie indiscutablement réelle. C'était une mince brune aux cheveux courts, une étudiante en sciences politiques. Elle vivait à Montréal, appréciait peu la nature, mais descendait passer chaque fin de semaine avec Jean-François. Elle arrivait le samedi midi, dans sa petite Lada, s'assoyait à la table, s'allumait une cigarette et commençait à parler avec volubilité, supportant mal d'être interrompue. Elle fumait un paquet de cigarettes par jour, ne savait pas cuisiner, se contentait de quelques rôties, d'un œuf, de biscuits secs pour dîner, ne manifestait qu'indifférence pour la poésie et affirmait n'avoir jamais rêvé.

«Qu'est-ce qui me fascine chez cette raisonneuse?» se demandait souvent Jean-François. La réponse, c'est qu'il l'appréciait pour sa réalité, pour son inaptitude à se dissoudre dans l'espace comme tant d'autres. Et ces curieux amants, qui ne se rencontraient à peu près sur aucun point, se complétaient si bien que leur liaison dura plus de deux années.

Un vendredi de juin, en toute fin d'après-midi, Jean-François pêchait, calmement assis dans sa chaloupe, espérant attraper quelques perchaudes dont il se proposait de faire frire les filets dans le beurre et le cognac. Sa petite amie montréalaise manifestait une répulsion absolue pour toutes espèces de poissons, mais Jean-François, ne se laissant pas décourager pour autant, s'était promis de l'apprivoiser aux plaisirs de la bonne chère.

Il pêchait donc, un peu assoupi par le bercement des houles vertes, lorsqu'un «plouf!» l'avait tiré de sa rêverie. Sursautant, il s'était retourné vers l'arrière de sa chaloupe: une jeune femme était là, assise sur le rebord. Sa longue chevelure scintillait, mêlée à la lumière qui dansait sur les flots. Ses seins nus ondulaient comme deux vagues gracieuses sur sa poitrine, mais le bas de son corps se terminait en queue de poisson. Car cette jeune femme était une sirène qui venait de bondir hors du fleuve pour faire un brin de causette avec notre poète. Son babil, d'ailleurs, ressemblait davantage au gazouillis d'une source qu'au langage des humains, et Jean-François, séduit par tant de charmes, ne put résister au plaisir de ramener à son chalet l'exquise créature.

Une fois la chaloupe accostée, il souleva la sirène dans ses bras, s'étonna que l'écaillure de sa queue de poisson, absente de toute rugosité, eût au toucher le velouté de la chair. Il l'installa dans sa baignoire, le plus confortablement possible, saupoudrant l'eau d'une pincée de cristaux bleus fleurant les épices des Indes qui parèrent la jeune femme de bracelets et de colliers de bulles. Il s'assit sur le tapis, ébloui par la beauté de cette étrange invitée, et il l'écouta chanter de sa voix de source.

Vers vingt-deux heures, la porte de son chalet, soudain, s'ouvrit. C'était sa politicologue de Montréal qui lui faisait la surprise d'arriver à cette heure indue plutôt que le samedi midi comme à l'accoutumée. Jean-François, se levant brusquement, accourut vers son amie après avoir refermé derrière lui la porte de la salle de bains. Incapable de dissimuler la présence de l'inconnue, il tenta de raconter à la blague son étonnante partie de pêche, mais constata bien vite qu'il n'était pas facile de partager une aussi belle fantasmagorie avec une raisonneuse de cette trempe. En moins de deux, elle bondissait jusqu'à la salle de bains pour se retrouver face à face avec la sirène transformée en une jeune femme à la chevelure blonde s'amusant, très à son aise, à faire mousser le savon autour de ses seins et de ses cuisses car, au grand désarroi de notre poète et contrairement à ce qu'il avait tenté d'expliquer à son amie, elle ne portait plus sa queue de poisson qui semblait s'être volatilisée. Pour comble, au lieu d'imiter avec sa voix le ruissellement d'une source sur de la mousse, elle chantait, enjouée, une chanson de Diane Dufresne:

> *Aujourd'hui, j'ai rencontré l'homme de ma vie*
> *Ouow! Ouow! Ouow! Ouow! Aujourd'hui*
> *Au grand soleil, en plein midi.*

La Montréalaise, indignée, fracassa contre le bord de la baignoire le pot de cristaux bleus dont les éclats de verre criblèrent la peau de sa rivale. Vitupérant, abreuvant d'injures le poète désemparé, elle remonta dans la petite Lada et fonça dans la nuit.

Jean-François, dérouté par ce sortilège, revint dans la salle de bains, mais la sirène n'y était plus. Il suivit les pistes mouillées qui marquaient le plancher en direction de la plage, rejoignit la mystérieuse créature au moment où elle s'apprêtait à plonger dans le fleuve et oublia vite les réprimandes qu'il voulait lui adresser. La beauté de la jeune femme, en effet, exerçait sur lui une telle séduction que, ne sachant comment lui résister, il la prit dans ses bras et la ramena au chalet. Elle le suivit dans la cuisinette où il se prépara un café en réfléchissant aux excuses qu'il lui faudrait présenter à son amie.

— Ça ne t'ennuie pas trop, dit la sirène, si je me colle contre toi?

Elle le frôlait de tout son corps, l'enlaçait, langoureuse, murmurant avec sa voix de source une mélodie. À un certain moment, lui faisant face, elle l'embrassa avec passion, lui sauta au cou en serrant ses cuisses autour de sa taille. Et Jean-François, oubliant ses déboires, l'emporta jusqu'à son lit.

Les deux amoureux ne s'éveillèrent de leur nuit de fête qu'au milieu de l'avant-midi. Lorsque Jean-François souleva la couverture pour contempler sa nouvelle compagne, il resta abasourdi en voyant que le bas de son corps avait de nouveau la forme d'une queue de poisson. En quelques bonds, elle atteignit la porte du chalet. Elle cria, d'un air mutin:

— Je t'invite chez moi. Si tu as le goût de me revoir, viens m'aimer dans le grand lit du fleuve!

Il ne la suivit pas immédiatement, encore sous le coup de sa nuit mouvementée. Mais les jours suivants, malgré le désir de renouer avec cette amie de Montréal qu'il en était arrivé peu à peu à considérer comme sa fiancée, malgré les longues lettres d'excuses qu'il entreprit de rédiger, il ne put chasser de son esprit les caresses de la sirène et il se mit à pratiquer ardemment la natation. C'était en ces termes, du moins, qu'il parlait à ses amis des périodes qu'il consacrait à la nage, chaque soir, en rentrant de son travail.

À la nage? En vérité, dès qu'il s'approchait de l'eau, la surface se soulevait comme un édredon et c'était dans un lit, dans le lit du fleuve qu'il plongeait.

Tout à cette passion nouvelle, Jean-François ne vit pas passer l'été. Et la sirène lui procurait des joies telles qu'il n'y eut plus bientôt qu'elle dans son cœur.

Un samedi chaud du mois d'août, il était allé la rejoindre, heureux de pouvoir lui consacrer son après-midi. Au plus fougueux de leurs ébats, ils bondissaient hors de l'eau comme des dauphins puis se laissaient couler, enlacés, jusqu'au sable du fond. Mais une épaisse buée brune vint brouiller la limpidité de l'eau. En un instant, il n'y eut plus autour des amoureux qu'un liquide âcre, très chaud, sentant le café. Arrachés à la béatitude, ils se débattirent du mieux qu'ils purent pour échapper à cette grande tache qui s'étendait à tout le fleuve. Jean-François poussa un cri: le liquide brun, de plus en plus chaud, venait de lui brûler la jambe gauche. Il n'était pas loin de la rive. Il sortit du fleuve, courut, mais l'air même s'était changé en liquide brun et, ne pouvant plus respirer, il tomba évanoui sur la plage.

Lorsqu'il reprit ses sens, il se retrouva allongé sur son lit, dans son chalet. Comme il entendait le ronronnement de la fournaise, il se mit debout, d'un coup, ouvrit les rideaux, et son étonnement fut complet en constatant que c'était l'hiver. Et quel hiver! Un de ces matins sinistres de décembre où l'on sent qu'il n'y aura guère de jour. Le réveil sonna. Sept heures trente. Il avait à peine le temps de se faire la barbe, d'avaler un œuf battu dans du lait, de sauter dans son auto.

Sortant précipitamment du chalet, il glissa et se retrouva assis sur la neige dure piquetée de grêlons. Lorsqu'il se remit debout, une vive douleur à la jambe gauche lui rappela la brûlure qu'il s'était infligée dans le fleuve. Il grésillait à plein ciel et son auto luisante de glace ressemblait à la boule de cristal d'une voyante. Il tempêta, s'acharnant à dégager les vitres avec son grattoir puis fila, conduisant nerveusement sur la route verglacée, jusqu'aux bureaux de *L'écho des rivières* où il arriva avec un gros quart d'heure de retard.

On était habitué, à la salle des nouvelles, à la ponctualité erratique de Jean-François, mais cette fois-ci le jeune homme s'attendait à une sévère semonce car il avait près de quatre mois de retard! Il ne se rappelait pas, en effet, s'être présenté au travail depuis la fin d'août. Ses collègues pourtant le saluèrent comme à l'accoutumée sans paraître avoir remarqué cette absence.

Sur l'heure du dîner, il alla manger une salade au restaurant Le Bolvert avec Noël, typographe barbu qui était son meilleur ami. Il hésita longtemps avant de lui faire le récit de ses mésaventures puis, n'en pouvant plus, il lui confia tout. Si sa jambe brûlée par le liquide brun qui avait envahi la nature le faisait souffrir, si le brusque passage de l'été à l'hiver le déconcertait, c'était la perte de la sirène, surtout, qui lui brisait le cœur.

Le typographe l'écouta placidement, sans manifester d'étonnement, puis il lui dit, le regardant droit dans les yeux, avec la voix posée d'un sage: «Jean-François, je t'en ai fait la suggestion à plusieurs reprises; si tu veux le conseil d'un ami véritable, si tu veux vraiment t'en sortir une fois pour toutes, il est grand temps que tu commences à suivre une thérapie.» Ça y est, la thérapie revenait sur le tapis. Noël lui avait tellement rebattu les oreilles avec cette formidable expérience de remise au monde qu'il vivait depuis quelques années. Chaque semaine, il se rendait consulter un soi-disant psychanalyste, dévorait quantités de livres de Freud et de Jung et avait même fini par s'inscrire, à l'université, à des cours du soir en psychologie. Quand Noël l'entretenait de ce sujet, Jean-François ne l'écoutait que de façon distraite, mais, cette fois, du fond de son désarroi, il ne put s'empêcher d'admirer la sérénité de son ami et c'est ainsi qu'il se retrouva, dès le lendemain, avec un gros livre de C. G. Jung, que lui prêta le typographe.

Dans son désir d'en finir une fois pour toutes avec les rêves, de les comprendre, d'en démonter le mécanisme, d'exercer sur eux le plus absolu contrôle, de prendre en main la direction de sa vie au lieu de se laisser conduire par des fantasmes tel un songe-creux, il n'alla pas jusqu'à commencer une thérapie, mais il assista à titre d'auditeur libre au même cours de psychologie que son ami Noël.

Il fit agrandir, extraite du livre de Jung, une reproduction provenant d'anciens traités d'alchimie, qu'il afficha sur un des murs de sa salle de travail. Elle représentait une femme drapée dans une tunique blanche, la main droite levée, le corps nimbé de rayons noirs, et qui se tenait debout au centre du demi-cercle formé par les deux cornes d'un croissant de Lune.

Une nuit, il eut un court rêve qui l'intrigua au plus haut point. Une femme jeune, sans visage, drapée dans une tunique blanche, se dégageant lentement des ténèbres, s'avançait vers lui.

— Comment t'appelles-tu? demanda-t-il à l'énigmatique personnage.

— Lucie, répondit-elle.

Et Jean-François s'éveilla, le cœur battant. Alluma sa lampe, se leva, marcha dans la maison jusqu'au moment où il eut la certitude d'être parfaitement revenu dans le réel.

S'il ne tarda guère à établir la relation entre cette promeneuse du songe et la femme dans la Lune des alchimistes, il lui fut plus ardu de trouver une explication pour le nom de l'inconnue, et il ne parvint pas à se rendormir avant l'aurore, incapable d'apaiser son cœur qui demeurait bêtement séduit par le charme de cette visiteuse.

Il tenta, au cours des jours suivants, de libérer son esprit envoûté par ce personnage, mais ne parvint pas à s'arracher à la fascination exercée sur lui par le délicat fantôme. Séduit à l'insu de sa raison, il n'avait pas su prémunir son cœur et il errait maintenant comme un ensorcelé.

Chaque nuit, il souhaita revoir en songe cette femme, une fois, rien qu'une fois, afin de découvrir les traits dissimulés derrière son apparente absence de visage, mais la vision ne revint pas. Il passa des nuits en proie aux tourments de la passion, étreignant son oreiller, appelant dans son demi-sommeil: «Lucie! Lucie! Lucie!» Et c'est ainsi que Jean-François Papillon, malgré ses efforts pour exercer un contrôle sur ses songes, se retrouva amoureux d'un rêve.

Dans cette impasse, notre journaliste-poète songea de plus en plus sérieusement à commencer une thérapie. Il s'en entretint un midi avec son ami Noël. On était en mars, la carapace de l'hiver se fendillait. On sentait, certains jours, des parfums d'espoir flotter dans l'air. Jean-François poussa la confidence jusqu'à parler du rêve qui lui avait bouleversé le cœur, mais il ne révéla pas en entier son secret, gardant pour lui le nom de l'inconnue. Noël, qui l'écoutait d'un air placide, sa figure de sage entourée d'un nimbe de barbe, se disait en lui-même: «Ce qu'il lui faut, c'est une compagne de tous les jours, capable de lui remettre les pieds sur terre. Il n'y a rien comme les préoccupations domestiques pour faire un homme de soi.» Il en était là dans ses cogitations lorsqu'il lui vint une idée. Il connaissait vaguement une étudiante en histoire, récemment installée à Port-Saint-François. Elle n'avait pas d'auto et il proposa à son ami de la prendre avec lui lorsqu'il se rendait à son cours. Cela tombait bien, elle suivait aussi un cours le mardi soir.

— Comment s'appelle cette fille? s'enquit Jean-François.

— Elle s'appelle Lucie.

À ce nom, Jean-François devint comme sourd. Il n'entendait dans ses oreilles que les battements de son cœur et il fit tout en son possible pour ne rien laisser transparaître de son émoi.

Il se promit d'attendre deux ou trois semaines avant de rencontrer cette jeune personne, mais au bout de trois jours, n'y tenant plus, il décida de lui rendre visite.

Il était dix-huit heures. Au moment de monter dans sa voiture, il vit venir un étrange trait noir, plus noir que la nuit. Il n'eut que le temps de se baisser pour ne pas être atteint par ce curieux météorite. Lorsqu'il se redressa, la pleine Lune luisait. Puis le vent, se déchaînant subitement, ne tarda pas à remplir le ciel d'épais nuages, et Jean-François se trouva pris dans les spirales d'une bourrasque de neige qui ne fit qu'accentuer son vertige. Il avait toujours détesté la poudrerie, cette chambouleuse d'âme, mais il se dit que se rendre chez Lucie était l'affaire d'une dizaine de minutes à peine et qu'il fallait plus qu'un début de tempête pour l'arrêter. Il s'apprêtait à monter dans sa Toyota Tercel, mais le trait noir stria de nouveau la nuit. Jean-François se coucha sur le sol, entendit siffler quelque chose au-dessus de lui. Lorsqu'il se remit sur ses pieds, son auto était devenue une Honda Civic.

— Vraiment, observa-t-il, la vie est parfois bizarre.

Il se dit qu'il serait peut-être préférable de remettre sa visite à un autre moment, mais il était incapable d'attendre plus longtemps. Il sauta dans la Honda, fonça, tandis que des vagues de neige déjà commençaient à déferler sur la route.

Le chalet poussait, telle une fleur jaune perdue dans l'hiver, au bord du fleuve et à la lisière d'un bois. Jusqu'au dernier instant, pressé d'en finir avec cette aventure, Jean-François espéra se trouver face à face avec un laideron, un être repoussant, à peau de crapaud, tortu-bossu, mais c'est une petite fée ravissante qui apparut devant lui dès qu'il eut frappé à la porte de sa demeure.

Surprise, ses longs cheveux noirs séparés par une raie médiane retombant librement sur son corps vêtu d'une combinaison-pantalon en velours gris presque blanc, toute délicate, visiblement un peu effrayée par cette visite inattendue, elle recula jusqu'au centre de la pièce et faillit trébucher en heurtant ses hauts talons contre un pot où un broméliá s'essayait piteusement à la floraison.

Jean-François profita de l'embarras de l'inconnue pour se donner un air de mâle tout à fait sûr de lui-même, que rien n'impressionne. Il s'occupa des présentations tout en admirant la silhouette de la jeune femme se détachant blanche sur le tapis jaune de la pièce d'entrée qui tenait lieu de cuisinette et de salon. Il voulut la rassurer en expliquant d'une voix posée que, sur le conseil de son ami, il venait lui offrir de monter avec lui pour se rendre à son cours.

— Mon cours? s'étonna-t-elle, mais nous ne sommes que lundi. C'est demain, mon cours.

Bien sûr, ce n'était pas la première fois qu'il lui arrivait de se tromper de jour, mais le moment était fort mal choisi pour un tel impair.

La fée des ténèbres se mit à rire, insista pour qu'il enlève sa canadienne, le temps de boire un café en sa compagnie.

— Vous me prenez très au dépourvu, monsieur Papillon, mais je suis quand même contente de votre visite, répondit-elle de sa voix très douce, un peu brumeuse, qui avait quelque chose du velours lunaire qui fait le charme de la flûte des Andes.

Jean-François bredouilla qu'il reviendrait le lendemain, qu'il devait repartir, que beaucoup de travail l'attendait chez lui, convaincu de faire bonne impression en se donnant l'allure d'un homme occupé.

— Vous êtes bien étudiante en histoire? s'enquit-il néanmoins. Est-ce que je peux te tutoyer? Bien... Lucie... tu es étudiante en histoire?

— Oh, vous savez, je me suis inscrite dans cette faculté, mais ce n'est pas ma place. Ce que j'aime le plus au monde, ce sont les histoires, les contes, les légendes. J'adore la poésie, je n'ai aucune rigueur scientifique, je suis toujours dans la lune...

Elle restait debout devant lui, dans la pénombre, et la lueur d'une petite lampe qui venait par instants glisser sur ses cheveux donnait l'impression qu'il irradiait d'elle une aura de rayons noirs.

— Bon, reprit Jean-François, la poudrerie augmente, il est temps que je rentre.

La jeune femme avait entrepris d'allumer un feu dans le poêle Franklin qui somnolait dans un angle de la pièce.

— J'ai toujours de la difficulté à allumer ce poêle. Vous devriez me donner un coup de main pour faire du feu avant de partir.

Elle le regarda avec un sourire si irrésistible que, malgré une vive douleur à sa jambe gauche, il s'agenouilla devant l'âtre et fit danser des flammes parmi les papiers et les copeaux.

Alors, au lieu de partir, il s'assit sur un vieux fauteuil trop mou dans lequel il redouta presque d'être aspiré comme en des sables mouvants.

Il poussa un petit cri de surprise. Une chatte persane bleue, bondissant hors des ténèbres, venait d'atterrir sur ses genoux. Elle tenait un chaton entre ses babines, sous son museau plat, et balaya d'un coup le nez du poète avec le plumeau de sa queue.

— C'est Mélusine, expliqua la flûte des Andes, venez voir ses petits chats, elle en a eu quatre.

Jean-François, dans un louable effort pour lutter contre cette possession par le songe, pria Lucie de le tutoyer. Elle le fit et passa, suivie du poète, dans la minuscule pièce qui se trouvait être sa chambre.

Le lit, au sommier posé sur quatre blocs de ciment, occupait à lui seul presque tout l'espace, et la douillette verte à fleurs blanches qui ondulait sur le matelas faisait oublier la peinture écaillée des murs.

La jeune femme, s'assoyant sur le bord du lit, prit dans une boîte de carton deux petits chats qu'elle déposa sur ses genoux et, selon qu'elle baissait ou relevait la tête pour leur donner des baisers, ses cheveux s'ouvraient ou se refermaient en cachant son visage, pareils à ces nuages qui passent devant la Lune.

Pour se donner un air détendu, Jean-François décida de s'asseoir sur le lit à côté de Lucie. Le matelas, un peu mou, se creusa plus que prévu et les épaules des deux jeunes gens se frôlèrent.

Il régnait dans la chambre une douceur de crépuscule estival. Assis sur la douillette verte pailletée de fleurs blanches, ils ressemblaient à deux amoureux en train de musarder dans un pré de marguerites. Et cette illusion était rendue encore plus réelle par les crépitements de grillon du petit calorifère électrique qui se débattait seul, au pied du lit, pour maintenir contre l'hiver cette suavité de juillet si propice à l'éclosion des émois du cœur. Soulevant ses cheveux noirs, la jeune femme adressa à son voisin un sourire dont il savait maintenant ne plus pouvoir se passer.

— Tu as un beau nom, risqua Lucie. Jean-François Papillon, c'est poétique...

— Merci, merci... mais, affirma Jean-François, en se remettant debout, il faut que je file. J'abuse de ton hospitalité et, avec la poudrerie qu'il fait dehors, la route va finir par être bloquée.

Jean-François mit sa canadienne, sa casquette, poussa très fort dans la porte en partie scellée par un amoncellement de neige.

Il monta dans son auto, fonça dans le blizzard qui rendait la visibilité à peu près nulle. Dans sa hâte, il n'avait pas remarqué l'état impraticable de la route. Des vagues de neige roulaient devant lui jusqu'à la hauteur des roues. À la première courbe, il dérapa et s'immobilisa, incliné, dans une congère. Il sortit avec difficulté de sa voiture pour se retrouver dans un remous de vent qui faillit le faire basculer. Lucie, luttant contre la bourrasque, vint le rejoindre courageusement pour lui prêter mainforte avec sa petite pelle. Elle portait un court manteau et avait noué autour de son cou un long cordon composé de queues de ratons laveurs qui lui conférait l'allure saugrenue d'une horloge à coucou sous laquelle pendillent les poids de marche et de sonnerie. Ils s'employèrent à déplacer des monceaux de neige qui, chaque fois qu'ils reprenaient leur souffle, s'accumulaient de nouveau autour d'eux. Finalement, ils durent reconnaître l'inutilité de leurs efforts et, le souffle coupé par la violence de la tourmente, tous deux regagnèrent le chalet.

Comme ils approchaient, le trait noir qui, à deux reprises, avait failli atteindre Jean-François au moment de son départ, stria de nouveau le ciel. Il frappa la maisonnette qui disparut, et Jean-François, tenant Lucie par la main, s'aperçut qu'ils s'élevaient dans l'espace. Ils étaient assis sur un grand oiseau blanc qui les emportait. Mais le trait noir revint, anéantit l'oiseau, et les deux amis retombèrent sur le sol, tout près du chalet qui venait de réapparaître.

Lucie tenta de remonter le moral de son compagnon en le persuadant que la souffleuse allait passer vers minuit et qu'il pourrait alors rentrer chez lui, mais, en la regardant, superbe dans son court manteau, le cou enroulé dans ce cordon de fourrure qu'elle appelait son boa, il avait peine à croire qu'il n'y avait pas dans cette ensorceleuse quelque accord avec les puissances déchaînées de la nature.

Après avoir secoué le masque de frimas collé sur sa figure, il se laissa tomber, vaincu, sur le fauteuil mouvant qui l'avala de nouveau avec une satisfaction de complice.

La jeune femme lui adressa un sourire et lui versa une pleine tasse d'une infusion qui embaumait le clou de girofle et la cannelle.

Pour agrémenter l'atmosphère, elle fit tourner un disque. C'était la voix de Danielle Licari modulant sans paroles des airs célèbres de musique classique.

— Oh! soupira la jeune femme. Encore Mélusine qui transporte ici ses bébés. Viens, on va aller s'asseoir à côté de sa boîte parce qu'autrement elle va trimballer tous ses petits chats dans le salon.

Et les voici de retour dans le pré crépusculaire. Mais cette fois, Jean-François resta debout, persuadé de ne plus jamais pouvoir se relever s'il s'assoyait sur ce lit. Pourtant, après une longue hésitation, il décida de faire face au mystère et de l'exorciser en en parlant:

— Lucie, risqua-t-il, j'ai une histoire terrifiante à te raconter. Je ne voulais pas t'en souffler mot, mais c'est trop bouleversant, il faut absolument que j'en cause avec toi. Tu vas trouver ça complètement fou, je n'y peux rien, mais c'est pourtant la plus stricte vérité.

Et Jean-François de lui raconter par quel étonnant concours de circonstances il se trouvait ce soir dans sa petite maison. Il lui dit tout: le rêve prémonitoire, la Lucie du songe grâce à laquelle il l'avait connue avant même de la rencontrer. Il lui dit tout.

— Je ne la trouve pas terrifiante du tout, ton histoire, murmura Lucie avec la flûte brumeuse de sa voix. Je la trouve très belle... Les minous, c'est chanceux, y a plein de monde pour les flatter, chuchota-t-elle en frôlant de la main le chaton noir qui ronronnait en boule entre ses cuisses.

Jean-François s'accroupit devant elle, toucha du bout du doigt le nez humide du petit chat. Juste comme il allait effleurer la cuisse de Lucie avec sa paume, elle se leva, passa au salon, le laissant pantois, agenouillé devant le lit vide.

Mais la jeune femme qu'il croyait enfuie pour toujours revint s'asseoir en face de lui, sur le bord fleuri du lit. Elle n'avait fait que changer le disque de côté. Et la voix d'aile de Danielle Licari recommença de planer au-dessus des vagues du piano.

Au moment où Lucie baissa la tête pour donner une bise à son chat, ses longs cheveux voilant sa figure, Jean-François profita du fait qu'elle ne pouvait le voir pour murmurer sur un ton d'une douceur qui l'étonna:

— Lucie, Lucie de velours, je suis en train de passer en ta compagnie la soirée la plus étrange et la plus délicieuse de toute ma vie.

Jean-François voulut poser sur ses lèvres un baiser, mais elle se renversa, couchée parmi les marguerites du lit, en soupirant avec la plus absolue spontanéité: «Fais-moi l'amour.»

Jean-François s'abandonna entre les bras de la petite fée lunaire. Leurs vêtements lancés aux quatre coins de la chambre planèrent comme des oiseaux. Et les voici qui se dévisagent, les yeux dilatés. Les voici qui tremblent, qui se regardent trembler, savourant la délicieuse peur d'aimer. Ils échangent un baiser qu'ils prennent plaisir à faire durer le plus longtemps possible. Soudain, Lucie se lève, d'un bond souple, en disant: «Non, attends, j'adore faire durer le désir.» Elle sort de sous le lit une boîte de carton, l'ouvre et déballe aux yeux ahuris du poète une robe de mariée.

— Regarde, il faut que je te montre ça. Dans deux semaines, il y aura une sorte de carnaval à l'école où je donne un cours d'appoint et j'ai emprunté cette robe à une amie pour me déguiser en Fée des étoiles! Attends, je vais l'enfiler. C'est extraordinaire, elle me va comme un gant.

Elle passe au salon pour mettre la robe et le voile de tulle, et revient. Elle tourne sur place, s'amusant à enrouler autour d'elle la traîne de satin blanc, secoue du bout des doigts les petites roses bleues piquées à son corsage. Jean-François se lève, entraîne son amie hors de la chambre, la soulève dans ses bras – s'efforçant d'oublier la douleur de sa jambe brûlée – et revient vers le lit en la pressant contre son cœur comme un époux qui franchit le seuil de sa demeure. Il retire la robe de mariée, s'allonge sur le corps de Lucie. Leurs deux corps se superposent si parfaitement qu'on dirait deux morceaux pensés pour composer un ensemble et qu'on vient d'ajuster, deux pièces du puzzle de la vie que le Joueur du destin vient d'assembler. Pendant un long moment, ils jouissent de la béatitude de la chair, du bonheur animal d'un corps rassuré par la chaleur d'un corps ami, d'un corps qui, pour la durée d'un instant divin, nie l'hostilité de l'univers, la solitude, la peur, la mort.

— Ah! Lucie, Lucie de velours, je voudrais t'envelopper pour toujours dans une fourrure de tendresse chaude et soyeuse comme une peau de chat. Avant même de te voir, à cause de ce rêve étonnant, j'étais déjà fou de toi. Tu sais, il m'a toujours semblé que dans l'existence tout était sens dessus dessous et je n'ai jamais vraiment su si je vivais dans le sens dessus ou dans le sens dessous. Mais maintenant que je t'ai trouvée, la vie prend enfin un sens. Tu es là, dans mes bras, bien réelle. Et dire que je t'ai prise pour la femme de la Lune!

— Mais tu avais raison, murmure la jeune femme, tu avais raison... Au début de la soirée, quand je t'ai dit que j'étais souvent dans la lune, ce n'était pas une formule banale pour laisser entendre que je suis distraite. Tu sais, je suis vraiment la femme de la Lune... Je n'ai pas d'âge. Je vis sur la Lune depuis toujours. Quand j'ai besoin d'amour, je m'introduis dans les rêves d'un homme, je me déguise en humaine, je descends sur la Terre, je le séduis et l'emmène sur mon île de lumière. C'est moi qui ai tout combiné: le rêve, la poudrerie. Et maintenant je t'emmène sur mon île de lumière...

À Jean-François qui l'écoute, ravi d'entrer dans ce jeu poétique, elle dit encore: «Regarde par la fenêtre.»

Il se lève, nu, colle son nez à la vitre enluminée de givre. La tempête s'est apaisée. Le ciel est pur, sans un nuage. Les étoiles scintillent. Il cherche la Lune dont la lueur jaune illumine l'espace. Ne la voyant nulle part, il constate, médusé, que la lueur irradie à partir du chalet de sa nouvelle amie. Il écarquille les yeux pour apercevoir le sol couvert de neige afin de se rassurer, mais le sol a fui et il ne distingue plus, bien loin au-dessous de lui, qu'un petit astre blême. Il retient un cri d'effroi car cet astre, il le reconnaît pour l'avoir vu maintes fois sur des photographies prises par les cosmonautes. Cet astre blême, c'est la Terre qu'il contemple, à des centaines de milliers de kilomètres de distance, par la fenêtre d'un chalet métamorphosé en Lune, un chalet rond comme une île de lumière. «Ça y est, j'ai la berlue», bafouille Jean-François, mais cette fois il prend le parti de rire de sa situation. C'est la vitre, évidemment, brouillée de givre, qui déforme le paysage. Ce n'est là qu'une hallucination passagère, il n'y a pas de quoi s'affoler, c'est d'ailleurs une hallucination charmante et puis il aura tout son temps, demain matin, pour vérifier sa position dans l'espace et tirer une conclusion plus objective.

— Regarde, reprend Lucie, tu vois bien que je suis la femme de la Lune, le lit autour de moi brille comme un halo.

Effectivement, le corps de la jeune femme émet une tendre phosphorescence qui transfigure sa couche en un orbe de lumière.

— Ce n'est plus un lit, s'exclame Jean-François, c'est un luit! C'est notre luit d'amour!

Il retourne se blottir dans la chaleur de Lucie, l'embrasse sur les paupières, sur les aréoles roses de ses petits seins en répétant: «Ensorcelé, ensorcelé...» Et voici que Jean-François, engagé dans une entreprise d'élucidation du mystère, se retrouve nu, le cœur battant, plus poète que jamais, en train de jurer un éternel amour à une inconnue qui n'est peut-être nulle autre que la femme de la Lune.

Au cours de ses ébats, il s'empêtre dans la robe de mariée restée sur le lit. Il se met à genoux, s'amuse à déployer la robe à bout de bras, au-dessus de ses épaules, et à l'agiter comme deux ailes, puis il referme ses ailes autour du corps de Lucie et s'allonge doucement sur elle.

— Eh bien! module, mutine, la flûte des Andes aux joues empourprées de bonheur, c'est la première fois que je fais l'amour avec un papillon...

Mais à ce moment, Jean-François entend un bruit curieux, on dirait un stylo qui griffonne sur du papier. Il lève la tête, se retourne et aperçoit, à sa grande stupéfaction, sur le mur de la chambre, les trois lettres du mot FIN qui se dessinent en grossissant comme sur un écran de cinéma.

Il bondit hors du lit, s'approche du mur pour le tâter. Pas de doute, il n'est pas en train de rêver, les trois lettres sont vraiment là. Alors, dans un accès d'impatience, irrité par tant de fantasmagories, il frappe du poing le point du i, mais il frappe avec tant de force que son poing perce la cloison et que lui-même, emporté par son élan, traverse le mur par le trou que fait le point du i.

Lorsqu'il retombe sur ses pieds, il se retrouve dans une pièce inconnue. Il n'est plus dans le chalet de Lucie. Les murs sont couverts de livres tassés les uns contre les autres sur les rayons de bibliothèques qui vont du plancher jusqu'au plafond. Un homme est là, grisonnant, dans la cinquantaine, qui lui tourne le dos. Il est assis à une table, en train d'écrire. Jean-François s'approche et constate que l'homme achève de tracer le mot FIN en gros caractères, au bas d'une page remplie de mots. À l'homme qui sursaute et le regarde, Jean-François demande:

— Où suis-je?

— Mais tu es chez Roger Beauclair, écrivain, sur la rue Haut Boc, à Trois-Rivières. Où donc te crois-tu? rétorque l'homme, d'un air narquois, car il reconnaît en Jean-François le personnage du récit qu'il vient de terminer. Et il ajoute: mais ce n'est pas une raison, parce que tu es l'un de mes personnages, pour te promener tout nu dans ma maison. Tiens, prends ma vieille robe de chambre.

Jean-François, mal à l'aise, enfile le vêtement usé que lui jette l'auteur, mais il se reprend vite et proteste:

— Que dites-vous là? Moi, Jean-François Papillon, je suis un de vos personnages? Pour qui vous prenez-vous, à la fin?

— Écoute, mon jeune, reprend Beauclair, ne t'énerve pas. Ce n'est pas la première fois que je vois apparaître un de mes personnages et que je cause avec lui. J'ai la mauvaise habitude de boire lorsque j'écris, ça stimule l'inspiration, et lorsque je suis très absorbé par mon récit, il arrive que les créatures de mon imagination me paraissent soudainement réelles. Mais ça ne dure qu'un instant, nous échangeons quelques mots puis elles retournent dans la fiction.

— Mais qu'est-ce que vous me chantez là? se fâche Jean-François, constatant que l'homme est en effet un peu ivre. Qu'est-ce que vous me chantez là? Je ne suis pas un personnage, je m'appelle Jean-François Papillon, j'habite à Port-Saint-François, je travaille à *L'écho des rivières*, tenez, voici ma carte de journaliste (mais il n'a rien d'autre sur lui que la robe de chambre de l'auteur).

— Tout cela est exact, confirme Roger Beauclair, tout cela est exact dans l'histoire que je viens d'écrire, mais dans la réalité tu n'es rien du tout, pas même une fumée, rien du tout!

— Attention! s'insurge Jean-François, en empoignant l'auteur par le col de sa chemise et en tentant de le soulever de sur sa chaise, attention, vous y allez un peu fort et je vais vous faire ravaler vos paroles! Et qui vous permet de me tutoyer?

— Doucement, doucement, le calme Beauclair, doucement ou je te fais disparaître d'un seul coup de stylo. Cela a failli t'arriver à quelques reprises, d'ailleurs, au cours de mon histoire, et tu devrais plutôt m'être reconnaissant d'être encore en vie. Je n'étais pas satisfait de toi, je te trouvais trop extravagant et je suis venu à deux doigts de te biffer en même temps que ta Toyota Tercel... Pour ce qui est de te tutoyer, ne t'attends tout de même pas à ce que je vouvoie un personnage que j'ai créé de toutes pièces.

À ce rappel de sa Toyota Tercel brusquement changée en Honda Civic, Jean-François reste abasourdi. Comment ce type peut-il connaître ce détail de sa vie privée? Et, bafouillant, se parlant à lui-même plutôt qu'à l'auteur, il marmonne:

— Mais pourquoi avoir biffé ma Toyota Tercel? Elle me plaisait davantage que la Honda Civic...

— Par caprice, répond Beauclair, par caprice et parce que j'ai moi-même eu une Toyota Tercel à l'époque où il m'arrivait de travailler comme chargé de cours. Mais j'ai dû la vendre depuis que je me consacre entièrement à l'écriture, car les affaires ne vont pas très bien. Maintenant, c'est ma femme qui a une auto. En tout cas, je ne suis pas pour te raconter ma vie et, bref, ça ne me plaisait pas de te voir dans une voiture identique à la mienne.

— Mais alors, s'inquiète Jean-François, ces traits noirs striant le ciel, c'était...

— C'était la pointe de mon stylo raturant le papier, tout simplement. Et, je te le répète, j'ai bien failli te rayer de mon récit.

— Et la tempête, balbutie Jean-François, de plus en plus blême à mesure que la vérité se fait jour en son esprit. La tempête? Pourquoi l'avoir brutalement fait surgir?

— Mais parce que j'avais besoin d'une poudrerie pour te retenir dans le chalet de Lucie, et puis, aussi bien l'avouer, ça m'amusait de te voir empêtré dans ces tourbillons de neige, alors que moi j'étais assis confortablement, au chaud, à ma table de travail.

— Et cet oiseau blanc qui nous emportait dans l'espace, cet oiseau fut... enfin... fut biffé, comme vous dites?

— Eh oui! mon histoire avait pris une direction imprévue et je l'ai orientée autrement. D'ailleurs, elle n'est pas vraiment terminée, ce n'est qu'un premier jet, je vais la remanier et tout peut encore changer.

— Et... et... cette... cette grande tache brune qui a détruit mon amour avec la sirène et qui m'a laissé une si vive brûlure sur la jambe gauche?

— Ça? rigola l'auteur, c'est lorsque j'ai renversé ma tasse de café sur le manuscrit. Cette aventure avec la sirène, de toute façon, je ne savais plus comment la finir, alors ça a réglé le problème. Ensuite, j'ai repris, presque sans lien, le cours de mon récit et j'ai enchaîné avec l'épisode de la femme dans la Lune. Quant à ta brûlure, mon cher Papillon, permets-moi de te rappeler qu'il ne s'agit que d'une brûlure fictive.

Cette fois, c'en était trop. Une brûlure fictive, cette douleur lancinante qui le fait claudiquer!

— Tout de même, vous y allez un peu raide, dit-il en refoulant sa colère. On voit bien que ce n'est pas vous qui avez une jambe brûlée! En tout cas, si tout ce que vous prétendez est vrai, reconnaissez au moins que ça donne tout un choc d'apprendre comme ça, d'un coup, qu'on est fictif... Mettez-vous à ma place...

— Oh! surtout pas, s'exclame l'auteur, surtout pas, je m'en garde bien. Je n'ai rien en commun avec mes personnages. Je suis un maniaque de l'ordre, je mène une vie rangée, je suis marié, casanier. Je n'ai rien à voir avec les aventures abracadabrantes que je fais vivre à mes héros.

— Pourquoi alors faire subir à vos personnages tant de péripéties? s'emporte Jean-François.

— Mais pour me distraire, tout simplement, me divertir, chasser l'ennui.

— Pourquoi m'avoir fait chercher une signification à ma vie dans les œuvres de Jung? se révolte Jean-François qui se retient à peine de frapper l'auteur.

— Bah! Tu n'es pas le seul à chercher, moi aussi je cherche.

— Pourquoi vous moquez-vous de tout?

— Parce que tout est dérisoire, absurde, parce que rien n'a de sens.

— Pour vous, dans votre misérable vie d'écrivailleur, de gratte-papier sans scrupules, rien n'a de sens, j'en conviens, mais moi, mon amour pour la sirène avait un sens et vous l'avez cruellement détruit, mon amour pour la femme de la Lune avait un sens et vous l'avez cruellement détruit. Et vous croyez que je vais vous laisser mettre fin à mon existence au moment où j'avais enfin trouvé l'amour, au moment où j'étais sur le point de commencer une thérapie et de donner un sens définitif à ma vie?

— Mais tout finit, mon pauvre Papillon, tout finit, de cette façon ou autrement, ça n'a pas d'importance, répond philosophiquement Beauclair. Quant à la thérapie, laisse-moi rire, j'en ai moi-même commencé une, il y a quelques années et...

— Vous croyez que je vais accepter que ma vie soit un échec! fulmine Jean-François. Vous croyez que je vais rester sur ma faim, sans savoir si Lucie était oui ou non la femme de la Lune?

— Mais comment le saurais-tu, pauvre niais, rétorque l'auteur, comment le saurais-tu puisque moi-même je ne le sais pas. C'est volontairement que j'ai laissé planer une ambiguïté, au terme du récit, pour abandonner le lecteur en plein mystère.

— Pourquoi avoir détruit mon amour? crie Jean-François. Pourquoi m'avoir enlevé cette femme?

— Peut-être pour la garder pour moi, lance l'auteur, d'un ton gouailleur.

Jean-François s'élance pour frapper le railleur, mais l'homme lui oppose la pointe de son stylo et Jean-François se pique le poing.

— Alors, hurle-t-il, c'est que vous êtes un monstre!

— Mais, pauvre imbécile, s'impatiente l'écrivain, comprends donc que tu es dans un conte fantastique et que de plus ce ne sont que des brouillons, un manuscrit à l'état d'ébauche, plein de maladresses, que je peux très bien, au gré de mes humeurs, chiffonner, déchirer et jeter au feu.

Jean-François ne se possède plus. La pensée que sa vie et celle de Lucie pourraient être anéanties de façon aussi stupide par cet individu le met hors de lui. Et lorsque Beauclair reprend:

— Comment peux-tu être assez bête, Papillon, pour te laisser prendre par une histoire aussi farfelue? Comment peux-tu croire que tu as réellement fait l'amour avec une sirène? Comment peux-tu raisonnablement croire que tu t'en allais vivre avec une femme sur la Lune? Décidément, tu me déçois, j'avais meilleure opinion de toi.

Jean-François lui jette à la figure:

— Vous n'êtes qu'un cynique! Non seulement ma vie est entre les mains d'un écrivaillon, mais elle est entre les mains d'un écrivaillon alcoolique!

Beauclair, resté calme jusqu'alors, se lève d'un coup. Il est grand, il est fort, il empoigne Jean-François par un bras, le lui tord dans le dos et le jette à la rue en criant:

— Je n'ai que faire de tes récriminations! Rentre dans la fiction!

Jean-François se retrouva sur la rue Haut Boc, en pleine nuit, vêtu de la robe de chambre. Heureusement, c'était l'été, il faisait doux et il décida, malgré des élancements dans sa jambe brûlée, de rentrer à pied à son chalet. Aux abords du pont Laviolette, un automobiliste le fit monter dans sa voiture et le laissa à Port-Saint-François.

Une fois chez lui, il se promena de long en large en proférant des menaces à l'endroit de Roger Beauclair. Il se parlait à voix haute. On verrait bien lequel des deux avait raison. Et puis si vraiment, lui-même, Lucie, son ami Noël et tous ses collègues du journal étaient des êtres fictifs, eh bien! on ferait front commun. On ne s'en laisserait pas imposer. On se mettrait tous ensemble, on fonderait l'Union des personnages et on protesterait avec véhémence contre l'Union des écrivains!

Mais le nom de Lucie réanima son inquiétude. Effrayé à l'idée de ne pas la retrouver, il sauta sans perdre un instant, sans même se changer, dans sa Honda Civic et fonça vers l'extrémité ouest de Port-Saint-François. Le petit chalet jaune était bien là. Tout semblait calme. Il aperçut Lucie, vaporeuse dans sa robe de noce, assise sur une balançoire, écoutant dans cette nuit de juillet, son phono posé près de la fenêtre, les chansons de Danielle Licari. Il courut vers elle, se jeta à ses pieds. La jeune femme sursauta puis:

146

— D'où sors-tu? demanda-t-elle, du Maroc? Tu te promènes en djellaba maintenant?

Dans sa hâte, il n'avait par regardé l'heure. Il était minuit. Il s'excusa de tomber chez elle de façon aussi incongrue. Quant à la djellaba, c'était la fameuse robe de chambre de l'auteur, enfin de Roger Beauclair qui se prétendait l'auteur...

— Tu sais, dit Lucie, venant de toi je ne m'étonne plus de rien.

Elle lui signala qu'elle avait trouvé singulièrement cavalière sa façon de la quitter au beau milieu d'une nuit d'amour, en mars dernier. Sur le coup, elle s'était un peu vexée, mais la douceur de sa nature avait pris le dessus et elle avait décidé d'attendre son retour. Depuis quatre mois, chaque soir, elle enfilait sa robe de mariée et elle l'attendait.

— J'étais certaine que tu reviendrais, murmura-t-elle de sa voix de velours.

Jean-François, ému, se confondit en excuses, l'assura de l'ardeur de son amour et lui fit le récit de ses mésaventures. À mesure qu'il racontait, la colère s'emparait de lui. À la fin, il s'écria:

— Fictif! Fictif! Non mais, tu te rends compte? Moi, fictif? Non mais, est-ce que j'ai l'air d'un être fictif?

Il frappait sa poitrine avec ses poings, se tâtait les bras, la tête.

Lucie, qui l'avait écouté distraitement, sortit de sa rêverie et dit:

— Mais alors, c'est qu'il me croit fictive, moi aussi?

— Évidemment, s'emporta Jean-François, il prétend qu'il ne sait même pas si tu es vraiment la femme de la Lune!

— Comment? s'offusqua la jeune femme. C'est un comble! Je suis la femme de la Lune et je vais te le prouver sur-le-champ ou plus exactement au-dessus du champ!

À ces mots, elle saisit la main de Jean-François, l'entraîna dans le petit chalet et le chalet, se soulevant de terre, se mit à monter dans l'espace où il prit la forme jaune et ronde de la Lune.

— Écoute, dit Jean-François, que cette nouvelle péripétie contrariait un peu, ce n'est pas nécessaire de tout chambarder, moi, je te crois...

— Ce n'est pas toi que je veux confondre, précisa Lucie, c'est Beauclair. Quand il va voir s'élever le chalet, dans son récit, il va reconnaître que je suis vraiment la femme de la Lune.

Jean-François, pour sa part, s'il avait déjà mis en doute les pouvoirs de son amie, devait maintenant se rendre à l'évidence: il était bel et bien sur la Lune, en plein firmament. Il voyait au loin la Terre, réduite à l'apparence d'un astre banal, perdu parmi les autres astres. Pendant un moment, il éprouva un serrement de cœur à l'idée de s'éloigner ainsi, pour toujours, de cette planète où s'étaient écoulées les vingt-sept premières années de sa vie, mais cette sensation fit rapidement place à la béatitude. Il se retrouvait seul avec la femme aimée, sur cette étrange île de lumière, à des centaines de milliers de kilomètres de la misère humaine. À cette pensée, il étreignit Lucie en murmurant:

— Mon amour, nous avons bien déjoué les plans de cet ignoble Beauclair. Et je suis d'autant plus rempli de joie, en nous voyant enfin réunis, que ce triste sire, au comble de l'arrogance, m'a jeté à la figure qu'il voulait t'enlever à moi afin de te garder pour lui.

Lucie, blessée par cette révélation, dit lentement, en pesant chacun de ses mots:

— Ce monstre me veut pour lui tout seul? C'est ce que nous allons voir. Laisse-moi faire, j'ai mon idée, je te promets que nous allons bien nous venger.

Le lendemain soir, lorsque Roger Beauclair pénétra dans sa chambre à coucher, il ouvrit la radio et commença à se déshabiller. On jouait le *Clair de lune* de Debussy. Justement, il faisait clair de lune et l'écrivain n'alluma pas la lampe pour mieux admirer la lumière de l'astre qui, entrant par la fenêtre ouverte, se posait sur le drap du lit. Comme Beauclair s'en approchait, la lueur se transforma en une belle jeune femme, vêtue d'une robe de noce, allongée là, devant lui, au milieu du lit.

L'écrivain, sidéré, sentit son cœur battre à tout rompre. Il reconnut tout de suite Lucie, et se dit qu'il s'agissait d'une hallucination. Mais lorsqu'il fit un grand geste pour la faire disparaître, elle resta là, langoureuse, offerte. La situation était d'autant plus embarrassante que son épouse, Rolande, achevait de prendre un bain et allait venir dans la chambre d'un instant à l'autre.

Roger Beauclair, perdant la tête, empoigna la jeune femme par les mains, la força à se mettre debout, mais elle se laissa glisser contre lui et posa sur ses lèvres un long baiser. S'arrachant à cette étreinte, il la poussa sans délicatesse dans un placard dont il referma la porte. Il était temps, Rolande entrait, en peignoir, fleurant le savon à la mandarine. Après une dure semaine de travail, le samedi était son soir de fête. Elle se couchait tôt, se faisait désirable. C'était son soir de caresses.

Roger s'allongea près d'elle, mais la présence de la femme de la Lune, dans le placard, à deux pas du lit, le figeait littéralement. Il n'aurait pas trouvé décent qu'elle assistât d'aussi près à leurs ébats, mais il y avait plus: depuis qu'il l'avait vue, bien en chair, son cœur ne battait plus que pour elle, et la présence de Rolande ne réussissait qu'à l'importuner.

Quant à Rolande, elle ne fit pas mystère de son dépit. Elle s'assit brusquement, s'alluma une cigarette, échappa l'allumette qui troua le drap et, tandis que Roger bougonnait intérieurement: «Quelle scie! mais quelle scie!», elle reprit la rengaine avec laquelle, depuis plusieurs mois, elle lui coupait les tympans: déjà qu'il lui faisait l'amour avec de moins en moins d'ardeur, si maintenant il s'abstenait, c'en était trop!

Tard dans la nuit, lorsqu'elle lui eut tourné le dos et qu'il se fut assuré de son sommeil, l'écrivain se leva en tapinois et ouvrit la porte de la penderie pour délivrer sa captive. Il voulait la remercier de sa discrétion, mais sa surprise fut douloureuse en constatant qu'elle n'était plus là.

— Ça y est, murmura-t-il, je deviens fou ou peut-être que je bois trop. Non, j'ai travaillé avec excès et j'ai encore l'esprit hanté par mes personnages. Ce n'est pas la première fois qu'une hallucination comme celle-là se produit. Il n'y a pas lieu de s'énerver.

Mais au cours des semaines suivantes, les reproches de Rolande se firent de plus en plus âpres. Frustrée par les pitoyables performances érotiques de son mari, elle en vint à lui soupçonner une maîtresse. Elle le surveilla. Un soir qu'elle s'était absentée pour aller au cinéma, elle revint subrepticement et surprit Roger en flagrant délit d'adultère. Il était là, nu, étreignant le beau corps de Lucie qu'il venait d'allonger sur le lit.

Elle entra dans une telle fureur qu'elle fracassa une lampe et déclara qu'elle allait demander le divorce. D'ailleurs, elle en avait assez de faire vivre cet incapable. Il n'y avait qu'elle qui s'esquintait dans cette maison. Depuis quinze ans, elle travaillait comme secrétaire chez un avocat en attendant que les livres de Roger se vendent.

— Si au moins tu écrivais des histoires sensées, des histoires pour le monde, des feuilletons, des romans à succès, mais non, tu préfères tes absurdes chimères. Heureusement que je ne suis pas dépensière, que je me contente d'un rien pour m'habiller, car il y a longtemps que nous serions dans la misère! Et tu as le culot de me reprocher de trop fumer, mais il faut bien qu'il me reste un petit plaisir, pour ce qu'il y a de drôle à vivre avec un lunatique qui s'évade chaque fois que j'essaie de discuter de politique ou d'un autre sujet intéressant. Que tu sois une nullité, ça fait quinze ans que je le sais, que je le supporte, mais au moins sois une nullité fidèle!

Elle partit en claquant la porte, criant qu'elle reviendrait chercher son linge et ses meubles. Quant à l'auto, elle la gardait puisqu'elle l'avait payée. Elle sauta dans sa Lada et fonça dans la nuit.

Après le départ de son épouse, Roger, abasourdi par cette scène, voulut s'excuser auprès de Lucie, mais il ne trouva plus sur son lit que la lueur froide de la Lune.

Depuis qu'il l'avait tenue contre sa poitrine, cette femme le rendait fou de désir. Il se retrouvait ensorcelé, incapable de raisonner cette faim.

Désemparé, il se mit à errer par les rues de Trois-Rivières. Il entrait dans les clubs, les restaurants, il la cherchait partout. Il se rendit souvent à Port-Saint-François où il ne vit aucune trace du chalet jaune. Trouver l'apaisement nécessaire pour écrire, il n'y arrivait plus. Et comme il ne pouvait travailler, il se mit à boire de plus en plus. Il parlait seul, sur les trottoirs, inquiétant les passants, rêvant de longues échelles pour monter jusqu'à la Lune.

Un jour, pour se distraire, il se rendit au centre commercial Les Rivières. Lorsqu'il ouvrit la grande porte, ce fut comme s'il venait de briser une digue: un flot se déversa sur lui, le refoulant dans le stationnement où il se retrouva trempé de la tête aux pieds, sous le regard intrigué des badauds.

— J'attache trop d'importance aux mots, grommela-t-il, en se relevant. C'est mon problème. C'est la maladie des écrivains.

Quelques jours plus tard, il voulut de nouveau pénétrer dans le centre commercial, mais cette fois il se dirigea vers l'entrée du magasin Miracle Mart. Il fit mine de ne pas avoir aperçu le mot «miracle», mais ce mot s'était déjà introduit dans son esprit et commençait à s'y animer.

Il n'eut pas sitôt franchi le tourniquet qu'un peu étourdi par le remuement bigarré de la foule il aperçut Lucie, loin devant lui, à l'autre extrémité de la salle, près des caisses. Vêtue de sa robe de mariée, elle allait s'engager dans la galerie marchande. Il voulut la rejoindre, mais il heurta deux plantureuses ménagères aux bras chargés de paquets. Le temps de s'excuser, de ramasser les objets déboulés par terre, il avait déjà perdu Lucie de vue.

Mais elle apparut de nouveau. Déambulant avec une allure somnambulique, elle semblait attirée comme par un aimant vers la librairie Morin. «Surtout pas!» dit Roger à voix haute, s'affolant à l'idée de la voir se diriger vers ce royaume de la fiction. Il voulut se précipiter devant la librairie pour en bloquer l'entrée, mais il s'empêtra dans le tourniquet du Miracle Mart, le forçant dans le mauvais sens; il dut faire un détour, passer près des caisses et, lorsqu'il parvint à la librairie, il était trop tard: la jeune femme venait de se confondre avec les volumes.

Savoir si elle s'était perdue parmi les milliers de personnages de Balzac, de Zola, de Maupassant ou de tant d'autres auteurs, c'était chose impossible, mais Roger, nerveux, le front perlé de sueur, se mit à feuilleter au hasard plusieurs livres. À quelques reprises, il crut l'avoir retrouvée, l'avoir dégagée de ce peuple de créatures chimériques, mais ce n'était qu'un encart publicitaire glissant par terre. Soudain, comme il allait désespérer devant l'énormité de son entreprise, il vit Lucie s'extirper d'un gros volume et se diriger de nouveau vers le mail. Elle avait, cette fois, sa robe semée de caractères d'imprimerie, la ténuité d'une feuille de papier. On aurait dit une page qui marchait, qui volait plutôt.

Roger voulut la rejoindre et l'entraîner dehors, par la main, loin de cet antre aux sortilèges.

Comme il allait l'atteindre, un trait noir, tombant du plafond, vint frapper Lucie sur la nuque. Du coup, elle retrouva toutes les séductions de son vrai corps, et comme elle se trouvait devant la boutique Le Château, sa tête fut couronnée d'un diadème aux feux aveuglants. Mais elle parut dépersonnalisée par cette mutation et, oscillant d'un bord à l'autre du mail, elle se mit à se confondre avec les mannequins des étalages, se vêtant tour à tour d'une robe de nuit, d'un tailleur, d'un maillot de bain. Puis elle sembla se ressaisir et s'assit sur un banc de bois près de la fontaine qui décore l'entrée du magasin Sears. Elle regarda les plantes bordant le bassin, les trois jets d'eau. Ce repos fut de brève durée car le fatidique trait noir, la frappant de plus belle, lui retira sa robe qui alla se fondre avec les chatoiements de l'eau.

À ce spectacle, Roger resta figé sur place. Lucie, pourtant, reprit sa marche. Nue, elle exerçait sur l'écrivain une attirance décuplée et il lui emboîta le pas, bien résolu à mettre un terme à ces enchantements. Il portait sur son bras son imperméable et s'approcha de la jeune femme pour lui en recouvrir le corps. Mais il s'arrêta net. En face de la boutique Émotions, le trait noir, brutal cette fois, vint frapper sa bien-aimée, et les yeux de Lucie, arrachés à ses orbites, allèrent retomber sur le comptoir de la bijouterie Luxédor où ils prirent la forme de pierres incrustées dans des bagues. Pour comble, les deux bras de Lucie se détachèrent de ses épaules et semblèrent voler vers le magasin Cado Dé-cor. Roger y courut, mais il était trop tard, les doigts de la jeune personne venant de se transformer en une grappe de bougies suspendue à un fil.

Il revint sur le mail. Lucie, qui ressemblait maintenant à la Vénus de Milo, continuait de marcher. Elle approchait du vaste magasin Zeller's, le dernier du centre commercial.

L'écrivain, subitement intrigué par le Z de Zeller's, crut y lire un mauvais présage. Cette lettre ultime de l'alphabet lui annonçait le terme de son périple et la perte définitive de la femme de la Lune. Il sentit, en entrant dans ce bazar, qu'une grande menace pesait sur son amour. Il vit Lucie filer très vite parmi cet entassement de cadrans, de rideaux, de serviettes, de lampes, de vélos, d'aspirateurs et, comme il allait lui saisir la main, le trait noir, tombant on ne sait d'où, la heurta si violemment que ses jambes, coupées, allèrent se balancer parmi des supports de métal sur lesquels étaient enfilés des bas. Quant à son corps, s'effritant sous le choc, il fut pulvérisé parmi ce capharnaüm d'objets aux mille couleurs, et le diadème, retombant sur le comptoir, près des caisses, ne devint plus qu'un petit bracelet de plastique sans valeur, dans une boîte de babioles.

Après cette mésaventure, Roger Beauclair fut en proie à la plus vive insécurité. Il ne vécut plus que dans la terreur d'être lui aussi raturé par le trait noir. Il se terra chez lui, se sentant trop exposé au-dehors. Le jour, il tirait les rideaux, ne trouvant d'apaisement relatif qu'à la venue de la nuit, lorsqu'il se croyait moins visible. «Je deviens fou, marmonnait-il, ne serais-je pas moi aussi dans le livre d'un auteur qui peut à tout moment biffer le pantin dérisoire que je suis?»

Il restait ahuri devant la tournure de son existence: l'échec de son mariage, la perte de Lucie, son incapacité d'écrire.

Un soir, alors que, selon son habitude, il se berçait dans l'obscurité en vidant un grand verre de gin, il entendit un grattement qui le glaça d'épouvante. Il fit de la lumière et aperçut la lettre F qu'une invisible main venait de tracer sur le mur blanc du salon. «Pas déjà? s'écria-t-il, tentant en vain de se mettre debout, pas déjà? Je n'ai rien réussi, ma vie n'est qu'un tas d'ébauches, de brouillons!» Le trait noir, soudain, striant le plafond, se dirigea vers lui qui se rencognait dans sa chaise. Frappé au cœur, ouvrant des yeux exorbités, il n'eut que le temps, avant d'expirer, de distinguer sur le mur les trois lettres du mot FIN.

Mais Lucie, étonnée de s'être laissé emporter à tant de violence, décida de pardonner et de rendre la vie à son auteur.

154

En s'éveillant, assis sur sa berceuse, Roger Beauclair, qui s'était cru mort, marmonna: «J'ai dû faire un cauchemar.» Mais il avait eu si peur qu'il se jura de reprendre sa vie en main. Il allait cesser de boire, se trouver une nouvelle compagne, recommencer à écrire. Et il se promit, à l'avenir, d'accumuler moins d'extravagances dans ses récits et d'avoir plus de considération pour ses personnages.

LA FAUVETTE À CROUPION JAUNE

— Une arche! tempêtait le jeune dentiste Olivier Leclair, si ça continue, il va falloir songer sérieusement à se construire une arche, comme le grand-père Noé!

Quel mois de mai! Il pleuvait. Depuis un mois presque sans un jour d'éclaircie. C'était comme si un océan volant, venu des lointains de l'espace, se fût posé sur la Terre. Des arbres, feuilles renversées, avaient pris l'allure blafarde de ces éponges appelées doigts de morts, d'autres ondulaient en algues. L'herbe était goémon. Les longs fils gluants de la pluie étouffaient le paysage pareils aux tentacules d'une anémone géante. On était, sur la terre, au tréfonds de cet océan dont les vagues, au-dessus de nos têtes, moutonnaient en nuages lugubres. Nos maisons nous servaient de coquilles, enfouies dans le fucus du feuillage, et pour peu qu'on en sortait, on avait des figures de noyés en train de bleuir, de se décomposer dans cet abysse.

Chaque fin de semaine, Olivier Leclair quittait son bureau de Joliette pour se rendre au lac Noir, dans les Laurentides, où il possédait un chalet. Il y alla donc, ce samedi-là, souhaitant l'apparition d'un soleil dont il commençait à mettre en doute l'existence. Mais le déluge continua: les conifères hérissaient leurs aiguilles comme des branches de coraux, les plantes étaient du varech et la surface du lac, criblée de pluie, évoquait la peau cloquée d'une étoile de mer.

Au milieu de l'après-midi, il vit arriver Denis Duguay, son voisin, un type de Québec, dans la cinquantaine, graphiste au ministère du Loisir, de la Chasse et de la Pêche où il dessinait des animaux pour des dépliants d'information. Deux heures plus tard, écœuré de piétiner, Olivier Leclair frappait à la porte de ce voisin qui était également son habituel compagnon de pêche.

Denis Duguay feuilletait un album de photographies et de cartes postales. La voix de Félix Leclerc, montant d'un phono, interprétait la chanson de Jean-Pierre Ferland intitulée *Ton visage*:

> *Il est beau, il est chaud*
> *Il est ma fleur de peau*
> *Ton visage*
> *En me fermant les yeux*
> *Je le devine au creux*
> *Des nuages*

Denis Duguay, pointant du doigt une photo en blanc et noir représentant un jeune homme assis sur un scooter, dit:

— C'est moi à vingt-deux ans, à l'époque où je vivais en France et où j'effectuais de si beaux voyages sur cette petite moto. Chaque fois que je me sens attaqué par le temps ou abattu par la lassitude, je crie: «Au secours!» et les souvenirs heureux de ma jeunesse accourent à mon aide, viennent me sauver la vie. Tantôt, à cause de cette température maussade, j'étais plongé dans la plus profonde morosité; j'ai eu recours à mes albums de cartes postales et à mes disques, et la magie une fois de plus a opéré. Aussi, lorsque tu es entré, je me baladais au soleil, en Espagne, sur une route serpentant dans d'immenses champs de tournesols.

En écoutant Félix, je me suis retrouvé au tout début des années soixante, à l'époque où, bénéficiant d'une bourse, je menais à Paris la délicieuse vie de rapin.

J'habitais alors un petit hôtel, rue Monsieur-le-Prince. Je passais le plus clair de mon temps à errer par les rues, à muser, bouquinant, visitant des galeries d'art, je lanternais, j'étais fort distrait, je regardais rarement devant moi. J'avais rencontré Claudine par hasard. Nous nous étions heurtés à la porte d'un magasin d'où elle sortait sans crier gare en tenant par une ficelle un carton de pâtisseries. «Sainte Bénite!» s'était emportée la menue jeune femme aux longs cheveux blonds, tandis que le carton rebondissait sur le trottoir, «v'là ma religieuse "effoirée"!» Elle s'agitait, nerveuse, les bras en l'air, mais le «Sainte Bénite!», en plein cœur de Paris, avait quelque chose de tellement cocasse que nous eûmes le goût de rire plutôt que de nous quereller. La surprise de nous retrouver entre compatriotes se substitua d'ailleurs vite à la colère. Nous avions ouvert la boîte: la religieuse, basculée sens dessus dessous, gisait aplatie dans sa crème au chocolat. Alors Claudine s'était exclamée, avec des gestes bouffons accompagnés d'un rire sonore: «Bah! j'ai si souvent rêvé, à l'école, d'"effoirer" la cornette sur la tête des bonnes sœurs, v'là mon rêve réalisé!»

Nous étions allés prendre un café à la terrasse d'un restaurant, mais Claudine se disait très pressée. Elle avait noté mon numéro de téléphone, avait refusé de me donner le sien et s'était précipitée vers l'escalier du métro.

Quelques jours plus tard, le concierge du petit hôtel où je logeais vint frapper à ma porte vers les cinq heures de l'après-midi. C'était Claudine qui téléphonait:

— Viens souper avec moi, on va se conter des peurs, on va parler du Québec frette. J'habite à Ménilmontant, sur la rue des Montibœufs.

— La rue des quoi?

— Des Montibœufs! répéta Claudine en pouffant de rire.

J'achetai du pâté de campagne, du fromage, des rouelles de saucisson, des baguettes, un litre de rouge, deux religieuses, et je me hâtai, petit phono en bandoulière, vers la rue des Montibœufs. Je possédais, à cette époque, un phono portatif et un seul disque: *Le roi heureux* de Félix Leclerc, que j'avais aperçu, très fier, à la devanture d'un magasin parisien. J'apportai le tout chez ma nouvelle amie pour mettre de l'ambiance.

Claudine vivait elle aussi dans une petite chambre au troisième étage d'un hôtel bon marché. Lorsque j'y parvins, après avoir grimpé les marches quatre à quatre, elle m'apparut, très tendue, cigarette aux lèvres, dans l'embrasure de sa porte. Mais au bout d'un moment, elle retrouva la gaîté et, me donnant un coup de coude dans les reins, elle me dit d'un air mutin: «Salut, Monsieur le Prince!»

Nous disposâmes en guise de nappe une serviette sur le lit et nous nous assîmes face à face, les jambes repliées, à l'indienne. Le repas prit rapidement l'allure d'une fête. Claudine fumait beaucoup, buvait à même la bouteille en essayant de se donner un air assuré, ponctuait sa conversation de «Sainte Bénite!» retentissants, expression qu'elle utilisait en levant les yeux au ciel, pour se moquer d'une de ses tantes restée vieille fille parce qu'elle était amoureuse d'un prêtre. Elle ressemblait à une petite poupée mais c'était une petite poupée bourrée de dynamite et à tout propos son rire explosait dans la chambre.

Lorsque nous eûmes bien mangé et bien bu, Claudine devint volubile et raconta sa vie. J'avais parfois de la difficulté à la suivre car, depuis mon arrivée, Félix chantait, dans son coin. Nous avions installé le phono sur une chaise et, chaque fois que la musique s'arrêtait, Claudine bondissait, risquant de tout renverser, pour aller changer le disque de côté.

J'appris qu'elle avait vingt ans, qu'elle se préparait, à son grand désespoir, à rentrer au Québec dans deux jours, sa valise était faite, j'appris aussi le nom de l'Adonis qui, depuis le début du pique-nique, me mettait mal à l'aise en me toisant d'un air arrogant. C'était Roger, son amant. Elle avait piqué au mur comme une affiche sa photographie agrandie. «Je l'ai fait finir en poster. C'est pas de l'amour, c'est de l'idolâtrie!» Âgé de trente ans, il travaillait pour une agence de publicité. Elle était venue le rejoindre, après avoir économisé ses sous de petite secrétaire, l'automne précédent. Mais le travail de Roger l'avait rappelé au Québec en février et Claudine, qui détestait l'hiver, avait refusé de le suivre. Elle allait demeurer à Paris, il viendrait la retrouver en mai ou juin, ils voyageraient jusqu'en Grèce, mais on arrivait au mois d'août et Claudine n'en avait plus de nouvelles depuis belle lurette. «Ah! c'est un beau snoreau! Je suis certaine qu'il vit avec une autre. Je vais rentrer au Québec dans deux jours, je vais foncer dans son appartement comme un ouragan!» Elle n'avait plus le choix d'ailleurs, car elle ne disposait plus que de quelques centaines de francs. La pâtisserie aplatie lors de notre rencontre constituait sa dernière fantaisie parisienne. La musique s'arrêta, elle s'élança pour tourner le disque et, passant près du poster, elle caressa le menton de son amant en murmurant: «Minouche, minouche, minouche... je l'aime, qu'est-ce que tu veux que j'y fasse?»

Depuis son adolescence, elle rêvait de fuir le Québec, le «Québec frette», elle détestait la neige, voulait passer sa vie à voyager, était partie, en fait, pour toujours, mais il fallait maintenant retourner au pays. Elle devint très triste, se mit à renifler et, brusquement, elle enfouit sa tête dans mes bras en me brûlant un doigt avec sa cigarette. Je la consolai de mon mieux en flattant doucement ses cheveux, d'autant plus mal à l'aise devant Roger que la chaleur du corps nerveux de Claudine me rendait fou de désir. Alors, pour tenter de faire diversion, j'entrepris de raconter mon récent voyage en Espagne. J'avais été parti deux mois, seul, sur mon vieux scooter Lambretta. Lors de l'incident de la religieuse "effoirée", je venais tout juste de rentrer à Paris.

J'évoquai les orangeraies, les palmiers, les guitares, les roses, les champs de tournesols: «Tu te rends compte! En Andalousie, la route pénètre parfois dans des cultures de tournesols qui s'étendent sur des kilomètres et des kilomètres. On dirait une fête où tous les soleils de l'univers se sont donné rendez-vous pour danser dans une vaste prairie!» Je parlai des falaises rouges, des parfums d'arbres fruitiers, des vols de cigognes, des ânes à pompons coiffés de chapeaux de paille, des patios fleuris, des palais mauresques aux murs ornés d'azulejos, de mosaïques et de stucs gravés en arabesques, et partout cette obsession de l'or et du sang héritée des conquistadores qui avaient massacré Incas, Mayas, Aztèques et pillé leurs trésors pour ériger dans des cathédrales ces retables ostentatoires surchargés de statuettes de saints. Et le goût du drame fastueux est si prononcé chez ce peuple que les christs d'Espagne ressemblent à d'étranges matadors, parés de caillots de sang comme de bijoux macabres, dressés avec superbe malgré leurs plaies percées par des clous longs et pointus comme les cornes noires du taureau de la mort.

Claudine m'écoutait avec avidité. L'ivresse aidant, elle vint s'accroupir derrière moi, ses bras passés autour de mon cou, se croyant assise sur mon scooter Lambretta. Elle sauta en bas de l'engin, revint avec le litre de vin: «On n'est pas pour partir sans emporter notre bouteille d'eau bénite, sainte Bénite!» Elle en avala une gorgée et sa tristesse se transforma en euphorie. Elle revint prendre place sur le lit, derrière moi. À partir de ce moment, nous nous imaginâmes filant à toute allure sur les routes tortueuses, sans garde-fous, de la Sierra Nevada. «Emmène-moi loin, Denis, jubilait-elle. Au soleil! Au soleil! On part pour toujours, on reviendra plus jamais ici!» Nous foncions à flanc de montagne, surplombant des précipices vertigineux. «Attention! dans le tournant, il y a des bonnes femmes avec des paniers de figues sur la tête! i-i-i-i-i-i-i!» Nous nous inclinions sur un côté puis sur l'autre, avalant gorgées de vin sur gorgées de vin pour lutter contre la peur. «Attention! en plein milieu du chemin, un âne chargé d'amphores! i-i-i-i-i-i!» Et soudain surgit devant nous un camion pétaradant, rempli de melons, qui circulait à gauche dans une courbe, je donnai un coup brusque du guidon, mais il était trop tard, nous dérapâmes et nous nous mîmes à tomber dans un ravin sans fond. Le scooter rebondissait avec fracas sur les rochers, perdant une aile, une roue; agrippés l'un à l'autre, nous roulions sur le lit en riant comme des fous. Les secousses étaient si violentes que nous en perdîmes, moi ma chemise et Claudine sa blouse de coton indien. Lorsque nous nous immobilisâmes enfin, j'embrassais mon amie sur les yeux, sur le nez, les oreilles, sur la nuque, les épaules, les seins, «non, non, murmurait-elle en essayant mal de se dégager, faut pas toucher, les seins c'est à Roger...» La musique cessa, Claudine s'échappa, s'alluma une cigarette, déposa l'aiguille à peu près au centre du disque et dit: «Silence! on va écouter *Ton visage.*» Elle s'assit par terre, loin de moi, dans un coin de la chambre et nous nous mîmes à chantonner avec Félix:

Des yeux bruns pour le jour
Des yeux verts pour l'amour
Ton visage
Des yeux que j'aimerai
Pour deux éternités
Ton visage

Claudine, chancelante, fit recommencer plusieurs fois la chanson puis elle revint prendre place à mon côté. Ses joues étaient mouillées de larmes. Elle murmura: «Si tu savais comme je suis tannée d'être triste. Tiens, prends une gorgée d'eau bénite.» Puis elle éclata de rire: «Mieux vaut rire que pleurer! répétait toujours ma grand-mère.» Elle arracha la couverture de son lit et, se tenant bien droite au centre de la pièce, elle lança, baragouinant en espagnol loufoque: «Dir-r-r-rectément dé Madrid, Espa-gne, ié souis la gran-n-n-ndé matadoré Claudino dé Toro! Ollé!» Debout, en jean, ses petits seins vifs comme des yeux, elle fit quelques passes, sa couverture tenant lieu de cape, et je me transformai en taureau, les index dressés en manière de cornes sur le front. Je grattais le sol avec mes sabots, je la chargeais avec fureur, elle m'esquivait habilement malgré une sérieuse titubation et m'invitait à revenir à l'attaque: «Ollé! Ollé! mon ti-bœuf!» Et comme elle redressait la tête, nimbée d'orgueil, se tournant vers les gradins d'invisibles arènes, s'attendant à un tonnerre d'applaudissements, mes deux cornes l'encadrèrent de chaque côté de la taille, je la soulevai sur mes épaules, la fit pivoter et nous basculâmes sur le lit en criant de plaisir.

Cette fois, la secousse fut si brutale que nous en perdîmes, moi mon pantalon et Claudine son jean. Je lui embrassais le ventre, les cuisses. Je posais mes lèvres sur son pubis et j'allais lui enlever sa petite culotte quand elle se mit à s'agiter pour s'enfuir en murmurant, très chatte: «Non, non, les seins c'est correct, mais le reste c'est à Roger...»

Subitement, elle fut debout, se frôla contre le poster, caressa la figure de Roger: «Minouche, minouche, minouche...» puis elle déposa l'aiguille au hasard sur le disque en disant: «Silence! c'est sacré, *Ton visage*»... c'était *Notre sentier*. Elle recommença... c'était *La fille de l'île*. Elle recommença, égratignant «Sainte

Bénite!» la surface du disque. Puis ce fut de nouveau l'envahissement par la tristesse :

> *Et je me suis saoulé*
> *Pour tâcher d'oublier*
> *Ton visage*
> *Et je me saoule encore*
> *À jeun et à tribord*
> *Quel voyage*

Assise sur le plancher, près du phono, elle remit inlassablement la même chanson, donnant chaque fois un petit coup de poing sur la chaise, pour faire sauter l'aiguille car maintenant Félix chantait :

> *Et je me suis saoulé*
> *Pour tâcher d'ou... scratch!*
> *Pour tâcher d'ou... scratch!*
> *Pour tâcher d'ou... scratch!*

À la fin, j'allai la rejoindre, lui baisai le bout du nez, léchai ses larmes sur ses joues, pris chacun de ses yeux dans ma bouche en promenant ma langue sur ses paupières comme pour un doux baiser d'amour, la soulevai dans mes bras et la ramenai jusqu'au lit où je m'allongeai avec délicatesse sur son corps brûlant. Cette fois, Roger avait perdu tous ses droits et lorsque je pénétrai en elle, elle ouvrit des yeux immenses, m'empoigna farouchement par les cheveux et se mit à m'embrasser avec un tel mélange de plaisir et de colère que nous roulâmes en tous sens et qu'au moment de l'orgasme nous basculâmes en bas du lit, sans relâcher notre étreinte, pour nous immobiliser près de la valise ouverte.

S'ébrouant comme un petit oiseau dans une flaque d'eau, Claudine se rendit, à quatre pattes, jusqu'au phono, remit *Ton visage* et revint se lover dans ma chaleur. Mais elle n'y resta pas longtemps paisible. Elle fut prise soudain d'une crise de rage, se mit à farfouiller dans la valise, en dispersa le contenu aux quatre coins de la chambre: «Je suis furax, comme disent les Français! Je suis furax! J'haïs l'hiver, sainte Bénite! J'en veux plus du Québec frette! Garde-moi avec toi, je veux pas rentrer, je veux pas rentrer!

«Moi, ma famille, c'est une famille de saints. Mon père, qui se complaît à écouter du chant grégorien, nous a répété mille fois qu'il avait manqué sa vocation, qu'il aurait dû devenir trappiste. Ma mère, elle, son rêve, ç'a toujours été de devenir carmélite. Quand j'étais petite, ma mère m'avait confectionné un costume de sœur avec la cornette, le crucifix, tout le kit! Je me promenais sur la rue, atriquée comme ça. Pour mon frère, elle avait fabriqué des ornements de messe de toutes les couleurs, des chasubles, des étoles, des barrettes, tout le kit! Il disait la messe, à neuf ans, sur des boîtes de carton qui lui servaient d'autels; on organisait des processions du saint sacrement puis il paradait avec son ostensoir en papier doré. Tu parles des beaux jeux pour des enfants! J'ai pas l'air de ça, mais j'ai les veines remplies de sang de prêtre!»

J'étais bien placé pour la comprendre, mon cher Leclair, car dans ma propre famille l'hérédité était lourde. Mon arrière-grand-père avait quatre garçons. Un était prêtre, l'autre oblat, et les deux autres frères des écoles chrétiennes! Heureusement, l'un des deux frères avait eu le courage de jeter son froc aux orties, à trente ans. Il s'était marié, permettant à la lignée de se perpétuer. Parfois, lorsque je regardais l'arbre généalogique qui ornait le mur du salon de la maison familiale, je l'imaginais couvert de feuilles noires en forme de petites soutanes... Et le printemps, lorsque je voyais un pommier en fleurs, je m'exclamais: «Voilà le genre d'arbre généalogique que j'aurais voulu avoir. Si j'étais le rejeton d'un tel arbre, je verrais toujours la vie en rose!» Mais revenons à Claudine.

«Depuis mon enfance, continuait-elle, je me débats pour pas qu'on fasse de moi une sainte. Je me suis toujours juré de fuir aussitôt que j'aurais des sous, c'est ce que j'ai fait mais là, il me reste plus un sou et, à cause de mon sainte Bénite de Roger qui me laisse tomber, je suis obligée de rentrer.

«J'aime mon corps, moi, je suis jeune, je suis belle, je veux rire, je veux vivre! vivre! J'ai peur de blanchir en retournant là-bas, j'ai peur d'être changée en statue de neige.»

En prononçant ces mots, elle se piéta, debout, figée sur place, les mains jointes, au milieu de la pièce. Je lui parlais, elle ne répondait pas. Au début, je pris son mutisme à la blague mais, au bout d'un moment, je craignis qu'elle ne fût réellement statufiée. Pris de panique, je me mis à la chatouiller des aisselles aux orteils: je sentis la joie monter dans son corps et son rire, une fois de plus, se déploya.

Nous étions maintenant terriblement ivres. Claudine, criant: «Mieux vaut rire que pleurer!» sautait sur le lit. Elle déroula de nouveau la couverture en guise de cape en me provoquant: «Viens mon ti-bœuf! Viens mon ti-bœuf!», mais elle titubait, si bien qu'elle bascula dans mes bras et cette fois, lorsque nous nous unîmes, elle riait tellement fort que nous dûmes réveiller l'hôtel entier.

À l'aube, nous nous drapâmes dans une couverture ainsi qu'en un manteau royal. Nous étions la reine et le roi d'un monde nouveau. Je déposai sur la tête de Claudine un oreiller comme s'il se fût agi d'une couronne gemmée. Je levai, majestueux, ma baguette de pain en manière de sceptre, j'ordonnai la mise sous arrêt du temps, et je décrétai l'abolition définitive de la mort.

À cette époque il m'arrivait d'être envahi de lumière, d'une lumière qui me montait du cœur comme une aurore et m'enveloppait à la manière d'un halo. Quand j'avais bien aimé, j'avais l'impression d'être entouré de rayons. Et je suis bien content de m'être pris souvent pour un soleil car la vie est si brève, si médiocre et composée de tant de jours de pluie.

Sur cette conclusion, Denis Duguay se mit à observer avec des jumelles les petits oiseaux qui voletaient dans les feuilles, attirés par les mouches d'humidité. Il pleuvait toujours. Aperçus par la vitre ruisselante, dans cette atmosphère de fonds marins, on aurait dit des poissons dans un aquarium, mais il s'agissait bien d'oiseaux...

Un pioui de l'Est, au bec garni de pinceaux de poils ressemblant aux vibrisses d'un chat, s'empiffrait de moustiques, exécutant des acrobaties aériennes au terme desquelles il revenait toujours se poser sur le même piquet. Des jaseurs des cèdres, huppés de brun, masqués d'un loup noir, plastronnaient avec une élégance de dandys au bal. Un tangara écarlate, soudain, s'alluma sur une branche, irréel, comme si, protestation de la nature, il venait de tomber dans toute cette eau une goutte de feu. Mais ces oiseaux, pour la plupart, appartenaient à la famille des fauvettes: fauvette à flancs marron, fauvette à poitrine baie, fauvette du Canada, fauvette à gorge orangée, porteuse d'un petit soleil de plumes, et la fauvette flamboyante qui ouvre et referme en éclairs l'éventail vermillon de sa queue. Éphémères comme des lueurs de lucioles, ils sont si animés qu'ils bondissent un instant hors du feuillage, nous ravissent par leurs vives couleurs, disparaissent sous la ramée. On dirait qu'une main invisible, tisonnant les buissons, y fait crépiter des miettes de braise.

Fugaces, ces oiseaux égayaient cet après-midi d'un printemps morose à la manière des joies qui parfois scintillent dans la grisaille de nos vies. À la manière de la jeunesse, à la manière de l'amour: feux follets qui éblouissent le cœur puis s'éteignent sous la ramure du temps.

— Tiens, dit le graphiste en désignant du doigt un passereau, cet oisal, c'est la fauvette à croupion jaune.

— Un oisal, qu'est-ce que c'est que ça? l'interrompit Olivier Leclair.

Et Denis se mit à rire:

— Ah! c'est une vieille habitude que j'ai. Je dis: «un oisal, des oiseaux; un étournal, des étourneaux; un corbal, des corbeaux; un batal, des bateaux, etc.». Te raconter dans quelles circonstances cela a commencé serait une longue histoire, mais comme cette histoire est reliée à la fauvette à croupion jaune, je vais essayer de te la résumer.

Cela me ramène encore loin en arrière, à l'époque où j'étudiais à Paris, à l'École des beaux-arts. J'avais vingt-trois ans, j'habitais rue Hautefeuille, à deux pas de la Seine. Un soir d'octobre, coiffé d'un vieux chapeau de toile beige que m'avait donné mon oncle et que je portais souvent parce qu'il me rappelait de beaux moments passés à la chasse aux canards, je déambulais sur le pont des Arts. J'avais revêtu mon éternelle chemise à carreaux rouges car il faisait un peu frais. J'étais fiancé, à cette époque, à une jeune Québécoise... que je n'ai d'ailleurs pas épousée. J'avais un long week-end à passer seul, mon amie s'étant absentée pour deux jours en compagnie d'un groupe parti visiter des cathédrales. J'avais promis de la retrouver chez elle, le lundi, à dix heures précises, au petit hôtel où elle logeait, près du métro Maison-Blanche. Mon séjour en France tirait à sa fin, nos billets d'avion étaient achetés, nous devions rentrer au Québec quelques jours plus tard. Je me baladais donc sur le pont des Arts, admirant, reflétées dans la Seine, les lumières de la ville qui semblaient y nager comme des poissons d'or.

Des amis, soudain, émergeant de la nuit, m'avaient entraîné jusqu'à la rue de la Harpe où se donnait, dans un vaste appartement, une fête bruyante pour célébrer je ne sais plus trop quoi. Il y avait là beaucoup de Français et de Québécois. Dès l'entrée, je fus étourdi par la chaleur qui se dégageait de cette foule. On dansait, on riait: un boucan de tous les diables. Errant un moment, bousculé, dans cette cohue où cliquetaient les verres levés pour des toasts hilarants, je finis par m'arrêter près d'une jeune femme aux longs cheveux châtains, un peu éméchée, qui reprenait sans se lasser les seuls vers qu'elle connaissait d'*Ô Canada*:

Ô Canada, terre de nos aïeux,
Ton front est ceint de fleurons glorieux!

Au début, quelques Québécois nationalistes la chahutèrent bien un peu, mais on l'oublia vite, sa voix se perdant dans tout ce bruit.

Elle s'appelait Annie, avait vingt et un ans, était Française, nous nous mîmes à causer. Annie n'avait qu'une idée en tête: aller vivre au Québec. Elle ne possédait pourtant sur le Québec que des notions bien vagues car il lui arrivait par moments, dans son enthousiasme, de le confondre avec le Canada. Nous nous frayâmes parmi les danseurs un chemin jusqu'à la cuisine où l'on se pressait autour d'une cuve remplie de sangria.

Je parlai de l'été, de la touffeur de la canicule, des forêts frisées sur le dos des montagnes comme un poil de bête sauvage. Je parlai des lacs qui reflètent le ciel, des lacs à pupille de soleil qui sont les yeux rieurs de la nature. Je parlai des prés rubanés de ruisseaux, étoilés de chicorée bleue, de salicaires roses, de mélilot jaune, des prés déroulés en laizes de catalogne.

Je parlai de l'automne, des arbres transformés en verges d'or géantes. Du soleil couchant qui troue en coup de feu les nuages du crépuscule passant à l'horizon comme volées de canards noirs... et des feuilles éclaboussées de sang.

Je parlai de l'hiver, du pays qui change de fourrure comme les lièvres.

Je parlai du printemps, des sèves qui montent dans les arbres et les hommes, du retour des corneilles, des hirondelles, des carouges, et des feuilles qui agitent comme autant d'oiseaux leurs petites ailes vertes.

Je parlai de l'île d'Orléans, des épaves de bateaux sur les roches violettes, près du village de Saint-Laurent; des petits arbres de cenelles renfrognés dans leurs épines comme porcs-épics. Des tables, au bord du chemin, chargées de pains de ménage, de confitures de framboises, de citrouilles, de pots d'herbes salées. Des puits à brimbale dressant parmi les foins leurs longs cous de hérons. Des nuages pommés qui ressemblent à des fleurs de trèfle mauve. De la douceur couchée en boule comme des chats sur les galeries des vieilles maisons de pierre aux toits en pente peints en rouge. Des fenêtres à carreaux qui observent benoîtement les passants pareilles aux verres épais des lunettes d'une grand-mère. Des Jésus cloués sur des croix de bois, semblables à d'étranges épouvantails protégeant des moissons d'âmes contre les corbeaux de l'enfer. Des petits cimetières, à deux pas du fleuve, près de roches rousses striées de gris, contenus, tels des potagers, entre des murs de pierre bas surmontés de bardeaux rouges; et sur des stèles blanches, des mains sculptées qui se serrent pour un dernier adieu, qui se tiennent pour n'être pas séparées par la mort. De l'église de Saint-François au fin clocher de bois vert sur lequel la lumière se pose comme un beau coq d'or.

Annie ne rêvait plus que de lacs, de forêts, d'îles, de neige, de fleurs.

— Tais-toi, Denis, s'était-elle exclamée, tu me donnes le vertige, et si demain, à mon réveil, je ne suis pas rendue au Canada, je vais devenir folle. Ah! et puis non, raconte, raconte, parle-moi de tout. Moi, je n'étais pas faite pour naître en France. C'est vrai, c'est con, on nous fait naître n'importe où sans nous demander notre avis, c'est nous pourtant que ça concerne, ce voyage-là. C'est con, bon Dieu, c'est con. Ça serait sensass, dis, si tu m'emmenais dans ton pays! Mais, nom de Dieu, qui c'est qui m'a mise dans cette foutue France? Il faut que je trouve un truc pour partir mais j'ai pas un rond.

Dans son exaltation, malgré la chaleur qui régnait dans la pièce, elle me pria de lui prêter ma chemise à carreaux, s'en couvrit les épaules afin de se croire au Québec, et elle se coiffa de mon vieux chapeau de toile.

Je lui parlai de la Gaspésie, du rocher de Percé, de l'île Bonaventure, des fous de Bassan qui se laissent tomber dans la mer. Et chaque fois qu'un de ces grands oiseaux à tête jaune s'enfonçait sous les flots, nous plongions la louche dans la cuve de sangria. À la fin, lorsque nous voulûmes danser, nous étions si ivres qu'après avoir tourné sur un joyeux rock, j'échappai la main d'Annie qui tomba assise par terre où elle se mit à rire sans pouvoir s'arrêter, tandis que je m'effondrais d'un bloc, sur le dos. On me croyait mort, on se pressait autour de moi, j'ouvris les yeux en disant:

— À boire! À boire! Je suis bien, je suis bien!

On nous remit sur pied en nous soutenant sous les épaules: nous entonnâmes le premier couplet d'*Ô Canada*; des amis nous tassèrent sur la banquette arrière d'une deux chevaux et nous laissèrent, rue du Cherche-Midi, à la maison où habitait Annie. Pour parvenir à sa chambre, qu'elle appelait sa piaule, tout en haut, sous les combles, au cinquième, il nous fallait monter un obscur escalier.

Sur le palier du premier, Annie s'assit en pleurant. Elle se disait insatisfaite de sa naissance en France, il était injuste que d'autres qu'elle fussent venus au monde au Canada. En me penchant pour la consoler, je culbutai et déboulai dans les marches. Je ne m'étais pas blessé, mais je dus me reprendre plusieurs fois avant de réussir à remonter jusqu'au premier.

Annie soudain se mit à chanter à tue-tête: «Ô Canada, terre de nos aïeux, ton front est ceint... ton front est sein... ton front est sein... Denis! Ton front est sein! Ton front est sein!»

Elle riait à en avoir mal au ventre.

Des locataires furieux frappaient dans les murs. Une matrone en bigoudis sortit de son appartement pour nous invectiver: on irait chercher les gendarmes, et Annie lui répondit: «Madame, votre front est sein, votre front est sein!»

Elle voyait très nettement devant elle l'énorme mégère avec un sein au-dessus du nez. Et, ce qui mettait le comble à son hilarité, elle me voyait également avec un sein entre les deux yeux.

Parvenus au cinquième, nous nous affaissâmes sur le plancher, incapables de nous relever, Annie ne cessant de répéter, étouffée de rire: «Denis, ton front est sein!»

Elle échappa sa clé dans le noir, nous la cherchâmes longuement, à tâtons, en criant: «Chut! Faut pas faire de bruit! Faut pas faire de bruit!»

— Qu'est-ce que tu cherches? finit par demander Annie. Qu'est-ce que tu cherches? Tu cherches midi?

— Oui, déclamai-je, subitement inspiré, je cherche midi au cœur de la nuit.

— Mais c'est de la poésie, c'est de la poésie! s'exclama-t-elle en mimant la plus vive admiration.

Puis, parvenant à se remettre debout, elle ajouta:

— Ne cherche plus midi, c'est moi Midi, je suis Annie Midi!

Et me mettant à genoux devant elle, bras ouverts, je claironnai:

— Hommage à toi, Midi, au cœur de la nuit!

Finalement nous pénétrâmes dans la chambre, nous nous jetâmes sur le lit, faisant voler couvertures, oreillers, vêtements, roulant d'un bord à l'autre, enlacés, nous croyant au centre de la mer, soulevés par les houles, en train de traverser en Amérique.

— Faut pas m'en vouloir, lança-t-elle en rigolant, je suis un peu vibrion.

— Vibrion? C'est quoi?

— Lorsque j'étais gosse, m'expliqua-t-elle, quand mon père voulait que je cesse de bouger, il me criait: «Arrête de vibrionner!»

À un certain moment, embrassant le bout du nez de mon amie et la pointe dressée de ses tétins, je murmurai: «Tu as des bouts du nez partout...» et Annie, d'un air bouffon, demanda: «Qui est-ce qui mange des glands avec son nez?» Comme je restais muet, elle répondit: «Un nez-cureuil!» Lancés sur cette voie, nous continuâmes à nous proposer des énigmes:

— Qui est-ce qui fait peur aux corbeaux avec son nez?

— Un nez-pouvantail.

— Qui est-ce qui porte un nez en forme de mitre?

— Un nez-vêque.

Retrouvant mon vieux chapeau beige, Annie s'en coiffa et dit, pouffant de rire, imitant un cancre qui ânonne une règle de grammaire: «Un chapal, des chapeaux!» Et nous nous relançâmes, le cœur en fête: «Un escabal, des escabeaux. Un chamal, des chameaux. Un berçal, des berceaux. Une verre d'al, des verres d'eau. Un crapal, des crapauds. Un idial, des idiots. Un rosal, des roseaux. Un ridal, des rideaux. Un boulal, des bouleaux. Un ruissal, des ruisseaux. Un annal, des anneaux!»

Nous suffoquions de rire et soudain, comme je tâtonnais sur le plancher, dans l'obscurité, pour trouver un oreiller, Annie s'enquit:

— Tu cherches encore midi?

— Eh oui! me répétai-je, je cherche encore midi au cœur de la nuit, pour le plaisir de faire de la poésie...

— Ne cherche plus, Denis, me rassura-t-elle, ne cherche plus, c'est moi la peau-ésie et, m'embrassant, elle me ramena contre elle dans le lit.

— C'est vrai, constatai-je en la caressant, c'est toi la peau-ésie, la peau-ésie vivante, le poème à seins, le corps du poème, la peau de la Beauté. Désormais, tu t'appelleras Alexandrine, Alexandrine à douze pieds!

Il me semblait distinguer dans la pénombre ses douze jambes, ses douze cuisses et je fis, cette nuit-là, l'amour avec la peau-ésie.

Nous nous réveillâmes très tard, le lendemain. On était sous les toits: plafond en pente, mur percé d'une lucarne carrée. Des pigeons roucoulaient posés sur le bord de la fenêtre entrouverte. Nous étions deux pigeons, blottis l'un contre l'autre; cette fois, lorsque nous nous aimâmes, ce fut avec une douceur exquise; au plus tendre de notre étreinte, nous nous mîmes à roucouler et je promis à ma petite amie de l'emmener au Québec, ne fût-ce que pour réparer l'une des innombrables bévues du Créateur.

Annie se leva, sortit sur l'étage pour aller remplir d'eau un pichet, elle en versa le contenu dans un grand plat posé sur le plancher et, morceau par morceau, elle se lava tout le corps: elle avait la grâce enjouée d'un petit oiseau qui s'ébat dans une flaque. En guise de casse-croûte, nous nous partageâmes une miche et du fromage. Annie, utilisant une expression de son père, appelait chanteaux les morceaux qu'elle détachait du pain et il me sembla qu'une musique montait de la mie, il me sembla que le pain chantait.

Il émanait une telle joie de la beauté de mon amie que le monde, à mes yeux, s'en trouvait transfiguré. Nous sortîmes sur la rue, nous marchâmes jusqu'au square du Vert-Galant, cette pointe de l'Île de la Cité qui coupe l'eau comme la proue d'un étrange bateau d'herbe à l'ancre dans la Seine. Annie, coiffée de mon vieux chapeau, avait enfilé ma chemise de laine à carreaux rouges. Nous décidâmes d'aller contempler Paris du haut des tours de Notre-Dame. Après avoir gravi, insouciants du fort remugle d'oubliettes, l'interminable escalier en colimaçon qui se déroule telle une vis dans les murs, nous nous amusâmes à regarder les gargouilles et à examiner les énormes chimères de pierre, oiseaux fantastiques à tête de dragon perchés aux angles du parapet. Nous nous aventurâmes même, au sommet d'une des tours, sur le faîtage d'où l'on voit glisser, annelé de ponts, le serpent bleu de la Seine. Il est probable que nous redescendîmes par l'escalier en spirale mais, dans mon souvenir, nous sautâmes dans l'espace où, main dans la main, nous planâmes, tels deux anges médiévaux, jusqu'au parvis de Notre-Dame.

Pour le repas du soir, nous nous arrêtâmes dans un petit restaurant de la rue de la Huchette. Annie était si gaie que tout ce que touchait sa joie se métamorphosait comme sous l'effleurement d'une baguette magique. Dans nos propos de tourtereaux, le potage au cerfeuil devenait un bocage au chevreuil, l'assiette de crudités une assiette de nudités, les pommes de terre des pommes de mer, les patates frites des patates truites, le pâté de foie du patois de fée, les cuisses de poulets des cuisses d'oiseaux-lyres, le tout assaisonné de quelques grains de ciel.

Lorsque nous voulûmes rentrer à la piaule de mon amie, il était tard. Nous nous engageâmes sur la rue Saint-André-des-Arts, parmi des maisons si vétustes qu'elles ressemblaient à des spectres. Il s'était mis à pleuvoir doucement. Nous enjambâmes à quelques reprises des poivrots endormis sur le trottoir et peu à peu nous commençâmes à éprouver ce malaise des noctambules qui se sentent suivis par un tire-laine.

Pour nous amuser, nous inventâmes des motifs de peur, imaginant des visions, faisant surgir des fantômes, mais nous fûmes bientôt pris à notre propre jeu. Les pavés luisaient sous la pluie. Je crus qu'une ombre s'était cachée dans une impasse. Nous accélérâmes le pas, percevant des froissements rappelant un bruit d'ailes vivement refermées. Je me retournai brusquement: une autre ombre venait de disparaître dans un renfoncement. Nous nous mîmes à courir sur la rue de l'Éperon afin d'atteindre au plus tôt le boulevard Saint-Germain, mieux éclairé. C'étaient maintenant des friselis et des pas inégaux comme ceux d'un boiteux piétinant dans l'eau des caniveaux. Au coin de la rue Serpente, des ombres griffues tentèrent de nous happer.

Une fois sur le boulevard, nous continuâmes à courir et nous nous engouffrâmes dans les ténèbres de l'étroite rue de Montfaucon, sous un porche, pour voir si nous avions été suivis.

À cette heure de la nuit, le boulevard est désert, mais un grincement se mit à scier le noir. On aurait dit un véhicule roulant sur ses jantes de fer. Le bruit se rapprochait. Figés par la peur, nous aperçûmes, venant de la rue des Ciseaux, un vieil homme vêtu d'un paletot qui lui tombait jusqu'aux pieds. Le misérable traînait derrière lui sept landaus reliés par des cordes, chargés à craquer d'objets disparates, et pestait car l'une des voitures venait de perdre une roue. Je m'approchai du clochard et l'aidai à replacer la roue sur l'essieu.

Cette fausse alerte m'avait redonné confiance, mais dès que le vagabond se fut éloigné, les enchantements recommencèrent de plus belle. Une grande ombre cornue, sautant à cloche-pied sur les pavés luisants, tenta d'empoigner Annie par les cheveux. Fouettant l'air de leurs ailes de chauves-souris, d'autres ombres surgirent, se jetèrent à notre poursuite. Sans réfléchir, nous détalâmes par la rue de l'Échaudé. Une fois sur la petite place de Furstenberg, cependant, nous dûmes nous arrêter, pantelants, toutes les issues se trouvant bloquées par les mystérieuses créatures ailées. Nous étions coincés, nous nous adossâmes au lampadaire qui occupe le centre de la place et notre effroi ne fit que s'accroître lorsque nous reconnûmes dans nos poursuivants quatre des chimères grimaçantes de la cathédrale.

Ce fut Annie qui reprit la première son contrôle. À mon étonnement, elle s'avança vers les monstres avec douceur et leur imposa les mains. Aussitôt, sous l'effet d'un charme, les bêtes se transformèrent en quatre pigeons ramiers qui se mirent à roucouler. «Ce sont des chimères, dit Annie, et les chimères sont mes amies.»

«Annie, murmurai-je, entre deux baisers, lorsque nous fûmes de retour à la maison de mon amie, depuis que je te connais mon cœur chante comme un oiseau, mais...» Elle était entrée dans ma vie par surprise. Je n'étais pas parti, la veille au soir, pour courir le guilledou, comme disent les Français, je déambulais tout bonnement sur le pont des Arts et voici que je me retrouvais dans les bras d'une femme et que mon cœur ne battait plus que pour elle.

J'avais pourtant engagé ma parole ailleurs et j'entendais la voix de ma fiancée qui me tançait: «Qu'est-ce que tu attends pour faire un homme de toi?» Il était temps, en effet, de donner une fessée à l'enfant qui folâtrait en moi, de m'arracher à l'insouciance, de marcher sur les hochets de la fantaisie et de devenir un adulte digne des responsabilités qui allaient sous peu lui incomber. Devenir un pivot solide autour duquel graviterait ma famille. Je concevais mon mariage comme un sacrifice de ma liberté au profit d'intérêts infiniment plus élevés, au profit d'une dignité à acquérir. Et voici qu'une fois de plus la légèreté de ma nature était en train de me faire passer à côté de la vraie vie.

— Tu es bien avec moi, chuchota Annie, garde-moi maintenant que tu m'as trouvée. Ne cherche pas midi à quatorze heures. Après tout, je suis la peau-ésie...

Et elle l'était de la tête aux pieds! Mon cœur se remit à chanter: «Annie, tu es une femme féebuleuse, une femme vermeilleuse!» Déjà, à cette époque, je me passionnais pour les oiseaux et ils vinrent tout naturellement gazouiller au milieu de nos ébats. Je parlai de l'hiver, des mains de la nature qui rembourrent le sol de capiton de neige, des mésanges, des gros becs à poitrine rose qu'on attire avec des graines de tournesol, des sittelles qui nous enseignent le mépris du bon sens en grimpant aux arbres la tête en bas. Je parlai du mois de mai, du junco ardoisé à qui la poitrine blanche donne l'allure d'une boule de neige qui n'a pas fini de fondre, du moqueur roux, du pinson chanteur tacheté d'un semis de grains bruns, du viréo mélodieux qui n'existe peut-être pas tant il se camoufle bien dans la futaie, mais dont le chant transforme un arbre en un xylophone de feuilles, je parlai des fauvettes: de la fauvette masquée, de la fauvette à calotte noire, de la fauvette à croupion jaune.

— C'est moi la fauvette à croupion jaune, gazouilla Annie, d'un air mutin, en retirant sa petite culotte jaune, et elle se blottit dans le nid de mes bras. J'ai toujours été si rêveuse, continuat-elle, que mon père m'appelait la mangeuse de nuages... Denis, je t'en supplie, t'es un type sympa, emmène-moi au Canada. Ce n'est pas juste, tu n'as pas le droit de t'en aller là-bas en me laissant ici. Je te promets que je te rendrai heureux.

Grisé par l'amour, je lui jurai de la prendre avec moi et notre lit s'avança de nouveau sur la haute mer. Soulevés par les houles, nous étions au cœur de l'Atlantique, nos corps nus baignant dans le plaisir. À un certain moment, Annie s'esclaffa en disant: «Ce n'est plus un lit, c'est un roulis!»

Le jour nous surprit enlacés, endormis sur le rivage d'une île heureuse, mais lorsque mes regards se posèrent sur le cadran, je sursautai. D'un coup, je fus arraché à la féerie. Décidément, j'étais toujours aussi inconséquent. On était lundi, l'aiguille marquait neuf heures et j'avais promis à ma fiancée de la retrouver à dix heures précises: j'allais comme à l'habitude, malgré la rapidité du métro, arriver en retard et je savais qu'elle ne pouvait pas supporter ces entorses à la ponctualité. Je bondis hors du lit, cherchant mes vêtements.

Annie, à peine émergée de son sommeil, murmura: «Merci, Denis, merci de m'avoir ramenée avec toi au Québec, merci, t'es un type vachement bien, tu sais...» Mais, après s'être frotté les yeux, prenant conscience de ma précipitation, elle se mit subitement à pleurer. Les pigeons roucoulaient à la croisée ouverte, elle aurait bien voulu s'envoler comme eux sur les ailes du songe, mais elle venait de constater qu'elle n'était pas rendue au Québec, elle venait de comprendre que la fatalité, dans sa cruauté, avait décidé qu'elle demeurerait en France jusqu'à la fin de ses jours.

— Dépêche-toi, eut-elle le courage de dire, dépêche-toi, elle te pardonnera si elle t'aime. En tout cas, je te pardonnerais. Va, elle te connaît et t'accepte tel que tu es...

J'allais franchir le seuil, je revins sur mes pas, je lui couvris le corps de baisers.

— Tiens, je te donne ma chemise et mon chapeau.

— De toute façon, balbutia-t-elle, souriant parmi ses larmes, tu ne vas certainement pas porter ce galurin et ce costard pour te marier...

Je pris mon élan, essayant de retourner brusquement dans le réel sans avoir le temps de réfléchir, comme un plongeur qui saute d'un coup dans un lac glacé.

Annie poussa un petit cri:

— Denis!... Ah! et puis non, sauve-toi, sauve-toi vite!

Elle s'était assise au milieu du lit, les épaules recouvertes de la chemise à carreaux rouges. Je me précipitai vers elle: «Je t'aime beaucoup», déclarai-je en lui embrassant le front et les seins.

— Moi aussi, je t'aime beaucoup, répondit-elle, mais voilà, notre amour est trop beau pour être bien sérieux. Sauve-toi, je ne veux garder de toi qu'un souvenir très fou...

Mon cher Leclair, conclut Denis Duguay, tu comprends maintenant, au terme de cette longue histoire, pourquoi je préfère dire un oisal plutôt qu'un oiseau. Et je suis moi-même un oisal. Tout humain est un oisal. Chaque battement de notre cœur est un coup d'ailes qui nous emporte. Pas un instant nous ne restons en place. De jour comme de nuit nous sommes entraînés dans la grande migration. À peine si nous nous posons pendant quelques moments sur l'arbre de la Terre.

Qu'est devenue Annie? Une petite bourgeoise, sans doute, en train de lire son *France-Soir*, dans quelque appartement banal. Et moi? Un fonctionnaire, interchangeable comme tout fonctionnaire.

Au début de la vingtaine, j'avais la bougeotte. À l'époque dont je viens de te parler, je revenais du Maroc. Il y avait eu la Suisse, l'Angleterre et d'autres pays. Aujourd'hui, je suis plus stable, en apparence, mais je me sens assis sur un ressort susceptible à tout moment de me catapulter dans l'au-delà.

Où allons-nous? Où vont les amours? Dans cet étrange voyage, nous volons parfois de concert avec un autre être, côte à côte, étroitement liés par nos regards et nos coups d'ailes ajustés ensemble, puis un vent nous sépare, nous nous perdons de vue, mais nous avançons toujours, toujours à tire-d'aile.

Où allons-nous? Pourquoi tant bouger? Pourquoi toujours vibrionner, comme disait la petite Annie? Nous étions sans doute ainsi bien avant de naître. Je nous imagine, trépignant d'impatience, pour venir sur cette Terre, mais nous ne nous y sommes pas sitôt posés que nous en repartons. La Terre est un grand arc qui nous décoche, tour à tour, telles des flèches, dans l'infini. Et les morts? Les morts qui volent au-devant de nous, si loin qu'on ne les voit plus, mais rattachés à nous par des fils invisibles et qui tirent. Nous sommes de bien petits oiseaux dans cette migration. Et, vu sous l'angle de l'éternité, notre Soleil lui-même, après s'être éteint, n'aura été qu'une lueur éphémère dans la nuit, aussi joli, mais aussi fugace qu'une petite fauvette à croupion jaune.

poser doucement dans des nids de neige. Puis, après avoir ainsi joué à se changer en oiseaux, reprendre leurs formes d'arbres veloutés de frimas, contents de s'être envolés un instant aux yeux de Louis, en ce si beau matin, pour le pur et gratuit plaisir d'éblouir.

Louis, émerveillé, voulut alors remercier son père et revoir sa mère. Mais lorsqu'il se retourna, la maison de son enfance avait disparu. De même que la plaque sur laquelle il avait tantôt lu: *Lucien Robert, optométriste, opticien*. Il avait recouvré son corps d'adulte et se tenait debout, sur la rue Mgr-Courchesne, à Nicolet, en face de la Polyclinique. Mais Louis ne s'attrista pas de cette situation car il avait retrouvé la faculté de voir la beauté.

LE GOÉLAND BLESSÉ

— Vous êtes atteint d'un cancer du poumon, dit le médecin, d'une voix qu'il voulait sans émotion. Ce cancer, rarissime chez un non-fumeur, comme c'est votre cas, est particulièrement difficile à traiter. De plus, il est malheureusement placé trop près du cœur pour que nous puissions opérer. Et puisque vous m'avez demandé de ne rien vous cacher, je dois vous avouer que vos chances de guérison sont infimes.

Guy Beauchemin, sous le choc, regarda fixement le médecin, et ses yeux dilatés par l'effroi s'embuèrent. Sa femme, assise à ses côtés, avait un agenda posé sur ses genoux; elle y écrivit, en gros caractères: INJUSTICE. L'homme prit la main de sa femme, la serra très fort et tous deux se mirent à pleurer sans dire un mot.

L'homme n'avait que quarante-sept ans. Il enseignait le français à la polyvalente de Nicolet. Comment cette maladie pouvait-elle s'être infiltrée en lui et l'avoir si sournoisement attaqué? À son insu. «Pourquoi?... Pourquoi?...» murmurait sa femme à travers ses pleurs. Depuis un mois, il toussait beaucoup, une toux mauvaise, profonde, qui lui faisait mal, surtout la nuit. Et son médecin de Nicolet l'avait référé ici, à l'hôpital Laval de Québec, pour subir des examens. L'homme se croyait aux prises avec une pneumonie. Mais jamais il n'aurait pu se douter qu'il était atteint d'un cancer incurable!

C'était le 27 janvier. Il faisait très froid. Le ciel était blanc. Guy et sa femme revinrent de Québec par l'autoroute de la rive nord, longeant le fleuve auquel l'homme, depuis sa petite enfance, se sentait attaché comme à son propre corps. Des souffles de poudrerie glissaient sur la chaussée. Si doucement qu'on eût dit des plumes. Puis se gonflaient par instants, prenant la forme d'une aile, une grande aile blanche battant spasmodiquement le sol, l'aile brisée d'un invisible oiseau tentant de prendre son envol. Puis la poudrerie, hypocritement, frappait en bourrasques la carrosserie de la Chevrolet bleue, sifflant aux oreilles des passagers comme la lame d'une grande faux blanche.

Guy aperçut enfin sa maison, située non loin de Port-Saint-François, sur une route de campagne appelée Les Soixante. Sa maison en brique entourée de beaux arbres qu'il avait lui-même plantés, une quinzaine d'années auparavant. Une fois à l'intérieur, il se vit dans le miroir du vestibule. Il fut frappé par la dimension de ses yeux, dilatés par la terreur. Il pensa, curieusement, à ces mares d'eau noire qu'on voit, le printemps, dans les bois, et qui semblent sans fond. Oui, ses yeux ressemblaient à ces mares car sa détresse était sans fond.

*

*   *

Derrière sa maison, Guy Beauchemin avait fait construire en contre-plaqué peint en blanc une petite habitation d'une seule pièce, posée sur une base de contre-plaqué roux, qui lui servait de bureau. Près de la fenêtre donnant sur des champs recouverts de neige, il avait fixé un nichoir pour les hirondelles. Dans le coin droit de la cabane, accroupie sur ses quatre pattes, une fournaise qu'il aimait alimenter de petit bois et de bûches pour maintenir autour de lui une bonne chaleur. C'est là qu'il se retira, le lendemain après-midi.